Katja Queen

Küsse des Windes

Tagebuch der Hellseherin

novum premium

Dieses Buch ist auch als
e-book
erhältlich.

w w w . n o v u m v e r l a g . c o m

Bibliografische Information
der Deutschen Nationalbibliothek:

Die Deutsche Nationalbibliothek
verzeichnet diese Publikation in
der Deutschen Nationalbibliografie.
Detaillierte bibliografische Daten
sind im Internet über
http://www.d-nb.de abrufbar.

© 2019 novum Verlag

ISBN 978-3-903271-17-3
Lektorat: Caius Benella
Umschlagfotos: Katja Queen
Umschlaggestaltung, Layout & Satz:
novum Verlag
Innenabbildungen: Katja Queen

Gedruckt in der Europäischen Union
auf umweltfreundlichem, chlor- und
säurefrei gebleichtem Papier.

www.novumverlag.com

Inhaltsverzeichnis

Vorwort

Stille, Gott, das Kind in mir, sodass ich klarsehen kann!

Betrachtet man die Ereignisse, die Gefühle einfach, oberflächlich, vorwiegend äußerlich, sieht man gewöhnlich nur einen Teil der Wahrheit. Man nimmt dann vielleicht nur die Hälfte der Wirklichkeit wahr. Dieses Buch widmet viel Platz der anderen Hälfte, die wahrscheinlich gleichermaßen wichtig wie vernachlässigt ist. Dies ist die Ursachenschreiberin, die geistige Realität. Sie nimmt den Raum, der ihr zusteht in diesem Buch. Das Buch beschreibt meinen Weg zu der Spiritualität.

Einen Ehrenplatz nehmen die Farben, die Geister, die Stimmen und die Gerüche – nicht nur das Unsichtbare, aber auch das, was man gewöhnlich weder hört noch riecht – es wird den Leser durch das Geschehene begleiten. So gut ich kann werde ich versuchen, das, was ich nur mit den geistigen Sinnen wahrnehmen kann, zu beschreiben.

Nach Gott sehnt man sich und nicht fürchtet man sich. Über unseren Umgang mit Fehlern und über verschiedene geistige Angelegenheiten wie Schutz vor den verwirrten Geistern, Hilfe von den Guten, das Verständnis von Tod, und vieles anderes handelt dieses Buch und das ist meine Geschichte, die auch ein Teil von dir ist, da wir alle verbunden sind, viel mehr, als es uns allen bewusst ist, während wir durch unseren Alltag rennen.

Es wird an den unabsichtlich kritischen Worten nicht fehlen, sonst wäre es ja fad. Natürlich, bei mystisch-spirituellen Themen scheiden sich oft die Geister. So schied sich auch mein Geist in vielen Diskussionen von den gängigen Ansichten und „herkömmlichen" Haltungen. Hier werde ich schreiben, warum.

Das Buch ruht auf der wahren Geschichte und auf den wahrhaften inneren Kämpfen. Ich fragte mich manchmal auch, wo ist Gott, wenn man ihn braucht? Kommt er immer oder schickt er jemand anderen stattdessen? Oder eilen uns selbständig die strahlenden Gestalten der Ahnen, Heiligen oder Engel zu Hilfe? Eigentlich sollen sie nicht, ohne die mystischen Vater und Mutter vorher zu fragen. Und was die guten Geister manchmal sagen, wenn sie kommen? Können sie uns wirklich helfen? Können sie es auch bei fundamentalen, schwerwiegenden, wahrhaft essentiellen Lebensfragen, auch so essentiellen wie Todessehnsucht oder die Ab/Wendung des Schicksals?

Wenn es jemanden gibt, der sie hören kann, was wäre es für eine Geschichte? Genau so eine Geschichte wurde hier beschrieben. Es war schon immer mein innerster Wunsch, so ein Buch zu schreiben. Das Erlebte und Verstandene habe ich Jahrelang, wenn nicht ein ganzes Leben schon, in verschiedenen kleinen, süßen Notizbüchern festgehalten. Jetzt ist die Zeit gekommen, es furchtlos zu teilen. Mit sehr viel Freude und einer Prise Unbehagen teile ich meine intimsten Erfahrungen und Überlegungen mit.

Welch eine himmlische Empfindung ist es, seinem Herzen zu folgen!
Johann Wolfgang von Goethe

Gott mit Söhnen und Töchtern, insbesondere Jesus – die begleiten uns alle, zu jeder Sekunde, jeden Augenblick. Die Erfahrungen, die genauso wie für den Leser, für mich selber sehr überraschend kamen, werden so gut wie möglich beschrieben. Der andere, wichtige Begleiter war eine reale Person, mit der Nummer 585 bezeichnet. Es gibt einen Grund, warum ich einen Menschen nach seiner Nummer nenne, der in diesem ganz besonderen, sehr einzigartigen Fall eine Ehre ist.

Ich freue mich sehr, dass du dir Zeit genommen hast, dieses Buch zu lesen und ich wünsche dir viele innere Fragen bei der Lektüre!

Der starke Wind des Gottes kann die Liebe wiederbringen. Wir alle wünschen es von Herzen während wir davon laufen.

Kapitel 1

Liebe von Anfang an

Du bist geliebt von Schöpfer Gott, noch ehe du geboren (bist).
Und als sein Kind in Ewigkeit, wird er dich anerkennen.
Epheser 1.4-5

Die Liebe und die Luft sind einander ähnlich. Beide kreisen unsichtbar um uns herum, wickeln uns ins Kraft und ohne beide können wir nicht leben. Wir nehmen sie nur selten wahr. Viel zu selten. Wir wissen nicht wirklich um die Liebe Gottes. Warum denn sonst überrascht es uns immer, dass wir so geliebt sind? Eigentlich sollten wir längst verinnerlichen und sehr sicher sein, dass Gott uns immer liebt, nicht nur in den besonderen Sternstunden, wenn es uns gerade bewusst geworden ist. Er hat sogar schon die Idee alleine von mir und dir geliebt, als er gerade beim Aussuchen unserer Talente oder Augenfarben war.

Gott war mit uns, noch bevor wir geboren werden, von Anfang an, von dem Anfang des Gedankens an unsere Existenz. Er umarmt mit der großen Freude jeden von uns mit seiner allgegenwärtigen Liebe. Dazu braucht Gott weder einen besonderen Anlass, noch ein besonderes Gebet von unserer Seite. Himmlische Eltern brauchen nicht einmal unsere Zustimmung. Für die Liebe ist eben eine Zustimmung nicht nötig. Alpha und Omega sind immer schon bei uns gewesen.

Ich fürchte nichts – nichts – als die Grenzen deiner Liebe.
Friedrich von Schiller

Seit meiner Zeit in warmer, nasser, beschützter Umgebung bevor ich noch geboren war, kannte ich Gott genauso natürlich und sicher, wie du ihn kanntest. Ich hörte Gott. Ich wusste so um

Seine Anwesenheit, wie ich um meine eigene Mutter wusste. Als ich noch ein Fötus in ihrem Leib war, war er mir näher als sie, viel näher. Ihn hörte ich reden in einer Sprache, die direkt im Herzen klang, leise, aber deutlich, unverwechselbar warm und liebevoll. Er kommunizierte mir keine Informationen, nur ein Gefühl, ein sehr wichtiges Gefühl der Liebe und Geborgenheit.

Eines Tages unterzog ich mich einer Art Rückführung. Es war für mich eine eher ungewöhnliche Erfahrung und die Rückführung selber war auch eher untypisch, da ich sie bewusst erlebt habe und später könnte ich mich an die Gefühle von der Vergangenheit gut erinnern. Mit einer Hilfe kehrte ich in die Zeit der sogenannten pränatalen Leben zurück. Von der Rückführung habe ich alles andere erwartet zu erfahren, als das, was vorgefallen ist. Dank dieser Reiser erfuhr ich, dass es weder die Umgebung noch meine Mutter war, die ich fühlte, noch bevor ich geboren war. Ich fühlte sehr kraftvoll und fast ausschließlich Gott. Ob diese Empfindung nur mir zuteil war, oder auch anderen Menschen, bleibt mir ein Rätsel.

Es war damals so beruhigend, in Geborgenheit Gott zu spüren in jeder Zelle, immer, ohne kraftberaubende Störungen und Zweifel, ohne einsame Zeiten. Gott war da, mächtig, aber keineswegs dominant, leise, aber gut zu hören. Er war sicher, liebend, ruhig-schaukelnd. Warum weiß ich es noch? Weil es die Rückführungen ohne Hypnose in einen halb-bewussten Zustand gibt.

Ich war so sicher, ohne es zu hinterfragen, dass alle Menschen auf der ganzen großen Welt in Gottes Armen leben, Gott atmen, Gott hinein und heraus fließen lassen. Es ist der Fakt, dass der liebevolle Vater und Mutter mit einem sanften Licht, mich und dich als kleine Babys schon umhüllt haben. Nichts ändert diese Tatsache, und schon sicher nicht, in wie weit du es verlernt hast.

Wir alle haben früher die Fähigkeit gehabt, ihn zu hören, wir konnten gar nicht anders. Du hast auch ein helles, beruhigendes Licht so nahe bei dir, als Fötus, als winziges Baby im Leib auch gesehen. Es ist eben das Licht, das durch die Flüssigkeit eindringt. Deshalb kann es so sanft und hell gleichzeitig sein.

Die sanften Unterhaltungen mit Gott waren natürlich, wie die Luft, neun Monate später. So ist das Leben in dem Uterus.

Leider verdrängen wir es unbewusst, alle, mich eingeschlossen, bis uns jemand oder etwas daran erinnert. Die Erinnerungen an die warme, kommunizierende Liebe, Geborgenheit und Frieden, Licht, im pränatalen Leben fühlt sich ausgesprochen stimmig, wahr an. Es steht nichts dagegen, sich in dieses Gefühl immer wieder zu versetzen.

Wie schade, dass ausgerechnet dieses Gefühl von selbstverständlicher Liebe wir durch das Leben hindurch dursten und nicht trinken, egal, wie selbstverständlich und wie nah es ist. Auch deshalb versuche dich daran zu erinnern. Wenn es zu schwierig ist, so schwierig, dass das Bild immer wieder vor dem inneren Auge verschwindet, versuche dir das Wertvollste von damals vorzustellen und dich hineinzuversetzen. Es ist wahr, dass Gott uns immer schon geliebt hat und immer bei uns präsent war.

Kapitel 2

Der schöne Veilchenduft

Allen gehört, was du denkst; dein eigen ist nur, was du fühlest.
Soll er dein Eigentum sein, fühle den Gott, den du denkst.
Friedrich von Schiller

Schon ganz früh roch ich auch die geistigen Düfte. Sehr lange nur wusste ich nicht, dass sie geistig sind und dass sie meistens nur von mir wahrgenommen werden. Ich dachte, dass alle rochen, was ich roch. Außerdem konnte ich die geistigen Düfte von den Menschlichen kaum unterscheiden. Vielleicht mit der Ausnahme von besonderen Anlässen in der Kirche. Während ich inmitten eines besonders schönen Gesangs einen Duft hineinströmen spürte, dachte ich, dass alles, was ich rieche, eine rein physische Natur hat. Das hielt bis zu einer besonderen Begegnung an.

Durch einen Zufall merkte ich, dass es eine Tatsache ist, dass ich nicht nur sehen, hören oder intuitiv fühlen kann, sondern auch geistig riechen. Es war im Alter von 18. Ich begegnete einem Menschen, der für seinen Glauben stark verfolgt wurde. Er litt deswegen vor einer sehr langen Zeit in einem kommunistischen Konzentrationslager.

Der sehr alte, kleine Mann verbreitete einen äußerst intensiven Veilchengeruch um sich herum. Wir saßen nur einige Meter voneinander entfernt in einem nicht zu großen Raum. Zusammen mit anderen dreißig hörten wir einem Vortrag zu. Manche kannten den Älteren, die meisten kannten mich. Da sie um meine und seine besondere Wahrnehmung wussten, führten sie uns zusammen. Ich wusste nichts von den geistigen Gerüchen. Ich wusste auch anfangs nicht, dass ausgerechnet er tiefspirituelle Begegnungen mit meinem Lebensbegleiter mit der Nummer 585 erlebt hat.

In der Pause des Vortrags wurde ich in das andere Eck des Zimmers gebeten. Ein anderer Seminarteilnehmer mit einem geheimnisvollen Lächeln führte mich zu dem alten Mann. Als ich mich näherte, spürte ich einen intensiven Veilchengeruch. Ich habe es plötzlich derartig stark wahrgenommen, dass es mich sogar gestört hat. Ich fragte laut, warum und wer so ein starkes Parfum verwendet hatte und ob jemand bitte sofort das Zimmer lüften möchte. Intensiv spürte ich den Veilchenduft. Es war zu viel von dem Parfum dachte ich. In größeren Menschenmengen, die sich in einem Raum befindet, empfinden wir die stärkeren Gerüche nicht nur als ungewöhnlich, sondern auch störend.

Als ich ihn wegen des intensiven Dufts angesprochen hatte, war er zuerst gar nicht begeistert davon. Fast entsetzt, belehrte er mich streng, dass ich mich auf mein Leben für Gott hier und jetzt konzentrieren soll und nicht auf meine geistigen Empfindungen. Da verstand ich, dass es sich in dem Moment um eine mystische Empfindung handeln musste.

Abrupt beruhigte er sich. Es war für ihn nicht das erste Mal, dass die geistig offenen Menschen ihm von dem intensiven Veilchenduft berichtet hatten, sagte er. Wahrscheinlich genoss er das letztendlich, wie ich, als ich seinen Ursprung erfahren hatte.

Plötzlich mochte ich den Duft. Der ehemalige Gefangene erzählte mir, dass einige Menschen ihn schon von seinem seelischen Veilchenduft berichteten. Es traf also zu, ich nahm die geistigen Düfte wahr. Ich merkte mir die Wörter des heiligen Mannes gut. Schließlich war er in einem Konzentrationslager durch Visionen und Träume von Gott zu 585 geführt worden. Dank seinen Träumen wusste er, wem er damals folgen sollte, erzählte Gott mir.

Erst nach der Befreiung durch amerikanische Soldaten verstand der nordkoreanische fromme Christ, warum er sie geführt hat. Erst dann konnte er den ehemaligen Gefangenen mit der Nummer 585 predigen hören. Denselben Menschen, der mich auch durch mein Leben, durch die Dimensionen und durch die Entfernungen, begleitete. Es ist die Liebe, die uns geistig finden lässt. Sie fließt sogar durch die Träume durch, die uns alle führen. Die unendliche Liebe Gottes, die schützt und lehrt, die Liebe des Heiligen Geistes, die alles verzeiht und beflügelt.

Sie hat mich erreicht durch die Menschen und Geister, durch 585, den ich erst im Leben finden musste. Es war der Mann im dunklen, grauen Anzug mit asiatischen Gesichtszügen, der mir seit meiner Kindheit immer wieder in wiederkehrenden Bildern und Tagträumen erschien. Das war der Mann, der mit dem Lächeln in sonnigen Wäldern predigte und zu welcher Hand ich mich immer wieder näherte, wenn ich ihn innerlich sah.

Der Heilige mit dem geistigen Veilchenduft hatte nur seine Träume, in denen ihm befohlen wurde, dem 585 zu folgen, und seine unwahrscheinlichen Erfahrungen, in denen er sah, wie der Prediger die winzige Portion des eigenen Reises mit anderen Gefangenen teilte. Es mangelte derartig an Reis, dass wenn jemand mit den Körnern im Mund verstorben war, bevor er sie schlucken konnte, die Mitgefangenen sie aus seinem Mund hinauskratzten und selber gegessen haben. Einer konnte es aber teilen. Denjenigen haben ihm Geister früher schon in Träumen gezeigt.

Es war mein Wunsch damals, im Alter von 18, derartige Führung direkt von Gott in Zukunft auch genießen zu können. Es ist mir so wichtig geworden, unbedingt zu lernen, mit meinen geistigen Fähigkeiten umzugehen. Ich habe ein brennendes Bedürfnis gehabt, die geistige Welt zu verstehen, meine Wahrnehmung einordnen zu können, um sie dann sinnvoll einzusetzen, im Dienste der anderen Menschen.

Ich war damals noch sehr jung. Das war das erste Mal, dass ich auf die Idee kam, dass ich möglicherweise die geistigen Gerüche wahrnehme. Früher wusste ich einfach nicht, dass es nur ein geistiger Geruch war, den ich riechen könnte. Es gibt Wahrnehmungen der körperlichen und physikalischen Art, die alle ähnlich riechen, sehen oder fühlen. Es gibt aber auch Wahrnehmungen, die nur geistiger Natur sind, die den meisten Menschen vorenthalten bleiben. Dazu gehören die geistigen Gerüche, wie in dem Fall ein geistiger Veilchenduft, den ich sehr stark wahrgenommen habe, die anderen Anwesenden aber ganz und gar nicht. Ich war diesen Tatsachen noch nicht vertraut. Die Gäste in dem Raum haben unser Gespräch mit einem Lächeln gehört und dann sagten sie, dass es für sie durchaus eine angenehme Atmosphäre war, aber dass sie definitiv kein Veilchen in der Luft riechen könnten. So ein Feedback hörte ich zum ersten Mal. Meistens hütete ich mein Geheimnis meines Friedens willen. Ich bin früher auch nicht auf die Idee gekommen, meine und die Wahrnehmungen anderer zu vergleichen anzufangen.

Eine Freundin hat mich später Mal, ein Jahr oder zwei, darauf aufmerksam gemacht, dass, sobald ich irgendeinen Raum betrete, ich einen großen Atemzug mit der Nase nehme. Ich drehe dabei meinen Kopf von einer Seite zu der anderen, als ob ich von überall die Duftproben nehmen wollte. Vor allem dann, wenn ich mich unter Fremden befinde. Ich entdeckte, dass ich mit meinem geistigen Geruchsinn unbewusst die Atmosphäre im Raum evaluierte, denn je schöner die Seele ist, desto schöner duftet sie.

Die Gerüche sagen viel über einen Menschen aus. Manchmal riechen sie unangenehm. Ich wusste gleich, dass es die ganz eigenartigen, unangebrachten sexuellen Gedanken sind. Eifersucht riecht auch nicht sehr angenehm. Die Interpretation war für mich so offensichtlich, dass ich auf meine richtenden Gedanken achten musste. Ich musste lernen, den schlecht riechenden Menschen, die Probleme hatten, nicht zu verurteilen. Wenn ich trotzdem entsetzt war, wurde ich mit der Abwesenheit der geistigen Sinnen fast bestraft. Es hielt eine oder zwei ganze Wochen an.

Mit der Aura Sehen war es etwas unkomplizierter. Ich sah einfach ein Licht oder ein Schatten um den ganzen Körper herum und um den Kopf verstärkt. Das Licht hat mit der Zeit in meinen Augen eine goldene Farbe angenommen.

Mit 22 traf ich einen Heiler, der mir in vieler Hinsicht weiterhalf. Zuerst linderte er mit seinen Fähigkeiten die Schmerzen der Entzündung der Bauchspeicheldrüse, was die Ärzte nicht taten. Ich traf damals nicht die Richtigen.

Mit viel Freude sah ich, wie der Heiler gearbeitet hat. Er bändigte die Energie in grünen Strahlen und er setzte sie dann für meine Heilung ein. Dann half er mir, mit seinen Vorahnungen und seiner Stärkung. Er prophezeite, dass ich in Jesus Alter gut sehen werde und dass alles sich bis dahin entwickeln wird. Ich wusste gleich, was er meinte. Es musste sich um das Alter von 33 Jahren handeln.

Ich verstand noch, dass das Sehen alleine nichts bringt. Ich musste die Farben interpretieren lernen. Als Folge würde ich sie positiv beeinflussen und lernen, sie zu ändern, dachte ich.

Das Nächste nach der Farbe Gold, das ich wahrnehmen konnte, war die besondere Farbe des Leidens, die es hier, in der Natur, gar nicht gibt. Sie ähnelt etwas den rot-braunen Tönen und sie erscheint immer dann, wenn Leid im Spiel ist. Selbst bei zusätzlichen physischen Schmerzen sah ich das Leid, das die Schmerzen begleitete. Es befand sich in einer Aura-Schicht, die sich in der Nähe der betroffenen Stellen befand.

Ich sah dann auch türkis um das Halschakra herum. Ganz besonders stark und intensiv, klar, war es natürlich bei den Menschen, die gut kommunizieren oder predigen könnten.

Das Rosa an den Händen haben nur die Glücklichen, die in ihrem Leben ihre Mitmenschen lieben und dienen lernten. Mehr zum Rosa werde ich gegen Ende des Buches erzählen, wenn ich mehr über die verschiedenen Erscheinungen der Liebe geschrieben habe.

Mit intensivem, saftigem Grün fließt die heilende Liebe. Royales Blau dagegen, ganz besonders, wenn er der Kopf wunderschön umrahmt, weist auf das Gespür und das Talent, des Gottes Weisheit zu fühlen. Menschen mit dem tiefblauen Schein haben etwas Königliches, Edles in der Seele. Es lohnt sich, sie um einen Rat zu fragen. Wir können von ihnen das Gute erwarten. Sie halten ihr Wort, weil sie nicht einmal ein Konzept haben, jemand anderen zu hintergehen. Tiefes, dunkleres Blau hat und bedeutet eben etwas Edles.

Wenn das Blau etwas heller ist, kann man es als das Bedürfnis nach einem intellektuellen Gespräch deuten. Die Menschen kleiden sich an dem Tag meistens in hellblauen Kleidern. Dieselbe Aura-Farbe kann aber auch auf die Ruhe oder die Beziehungsfähigkeit hinweisen. Sie schimmert dazu noch mit schönen perlgrünen Flammen. Die Farbmischung ist immer in Bewegung. Sie fließt und funkelt an der vorletzten Schicht des Aura-Randes, wo ich eine besondere Eigenschaft, je nach Menge und Intensität der beschriebenen Farben, beobachten kann und das ist die Beziehungsfähigkeit, die sich dort manifestiert.

Wir plagen uns mit schwierigen Beziehungen unser ganzes Leben. Eines Tages habe ich begriffen, dass es eigentlich ganz einfach wäre. Besonders bei Schwierigkeiten genügt es, unseren Schöpfer und Meister zu fragen, ob Er uns als ein Satellit dienen könnte. Es reicht, sich vorzustellen, dass die Menschen-Verbindungen durch Gott laufen. Sehr schnell merkt man, mit wem es fast gar nicht geht und in dem Fall belassen werden muss. Mit anderen wiederum gibt es eine gute, sichere Distanz, die allen guttut und auf die Entfernung eine Verbindung besteht. Dank Gott gehen sie nicht verloren. Wenn man sie etwas mystischer gestaltet, werden die Aura-Farben stark, sie leuchten wunderschön auf und sie haben ein Touch von Ewigkeit. Sie lassen sich nicht so leicht zerstören.

Werden die Beziehungen durch Gott gestaltet, selbst, wenn es nur in einer meditativen Vorstellung der Bindungen ist, wird es uns selbst ändern und die Verbindung zu den anderen auch. Es ist wie eine Schnur, eine Nabelschnur, die wir Gott zum Steuern und Weiterleiten geben. Mit der Zeit wird es uns selber retten. Es rettet uns vor dem Gefühl der Unersättlichkeit.

Sollten wir lieben und brauchen einmal einen bestimmten Menschen, der sich nicht in unmittelbarer Nähe befindet, so sehr, dass es zu schmerzen anfängt und das so stark, dass es nur eins bedeuten kann. Es ist ein Hinweis, dass wir die Hilfe aus dem Himmel brauchen. Nicht irgendeine Hilfe, nur die von Gott selbst ist am wirksamsten. Gott kann es gut. Wir sind nie wirklich getrennt als Menschen. Wir sind wie die Finger auf einer Hand, die nicht zusammenwachsen, jeder für sich und doch befinden wir uns auf derselben Hand. So befinden sich die Menschen auf der Erde: Jeder lebt nach eigenen Aufgaben und doch sind und fühlen wir zusammen, weil es keine wirkliche Trennung gibt. Es gibt eine physische Nähe. Je weiter sich ein Mensch entfernt, desto geistiger und stärker wird die Verbindung oftmals.

Im besten Fall kümmern sich Gott Vater und Mutter um unsere Beziehungen, wenn wir sie darum bitten. Manchmal sogar auch ohne das Gebet. Gott hilft uns auch, ein kleines, leidendes Kind in uns drinnen zu suchen. Wir suchen das Kind, um ihn selber mit Gottes Hilfe zu trösten, anstatt die anderen Menschen ständig dafür verantwortlich zu machen.

Die Fähigkeit, derartige göttliche Verbindungen zu schaffen, hängt im Nachhinein stark mit unserem Glückspegel zusammen. Genau genommen bestimmt es das Befinden von den beiden Beteiligten, die in Beziehung stehen. Den Himmel kann man nur schenken. Man kann andere Menschen so lieben, dass er oder sie sich wie im Himmel fühlt. Man kann sich selber nicht so lieben, dass man sich selbst im Himmel befindet. So ein glücklich, seliges Befinden geht nur durch und in einer Beziehung.

Das ist die Agape, eine gebende Liebe, eine Liebe, die in Verbundenheit besteht. Den Himmel kann man nur geben, man kann weder zum Himmel gehen, noch sich hinauf zum Himmel heben. Beim wirklich erfüllenden, vollständigen Glück brauchen wir nur die Liebe. Die Liebe alleine reicht, wenn wir genau nachdenken. Es ist eine bessere und viel sinnvollere Beschäftigung, so lieben zu lernen, anstatt unter Liebesmangel zu leiden.

Wenn wir es uns fest vornehmen, schaffen wir es auch, alles Gott in die Hand zur Weiterführung und zur Verwaltung zu geben. Da sollen wir anfangen. Da Gott die Liebe einfach weitergibt, müssen wir uns keine Gedanken machen. Es funktioniert tadellos. Die Verbindung hat eine leicht hellblaue Farbe, leuchtet etwas in hellviolett und glänzt mit Gold auf. Es fließt ununterbrochen die Energie hin und zurück und es ist wunderschön!

Die Probleme treten meistens im Austausch mit dem Menschen auf. Da wird die Nabelschnur schnell rötlich-schwarz, liegt schwer und deutet auf die seelischen Schmerzen. Dauert es länger an, kann es auch zu physischen Schmerzen kommen, die nach einer Heilung noch stärker erscheinen. Vor allem tut das so weh, was wir glauben, zurückzubekommen oder eher nicht zu bekommen. Es schaut so aus, dass der andere uns nicht gibt, was er oder sie „soll", oder es hindert uns etwas, die Liebe im Gegenzug zu empfangen. Es spürt schnell jeder, auch ohne die besonderen Fähigkeiten, ob die Energie fließt, oder nicht.

Es liegt unter anderem an unseren Erwartungen. Anstatt jedes Geschenk als ein Geschenk mit Freude anzunehmen, ist es auch ein Geschenk des Nicht-Antwortens, das Geschenk der Ruhe

und des Gelassen Seins. Die unerfüllten Erwartungen und die Enttäuschungen zeigen nur, dass wir die Entscheidung für den anderen übernehmen und uns fragen, was er oder sie eigentlich geben will. Es bedeutet automatisch dasselbe:
– Erwartungen zu haben,
– wie wir kritisieren,
– gewisse Dienste zu bemängeln,
– genau bestimmen, was, wann und wie uns gegeben werden soll
– „besser wissen“, wie der andere funktionieren soll und sich zu benehmen hat,
– die Freundschaft, die Liebe zum Tauschgeschäft und zur Bezahlung zu reduzieren

In unserem Kopf gibt es oft noch zusätzlich Folgendes:
– Be- und Verurteilung
– Enttäuschung
– Wir leiden

Und eventuell:
– Neue Strategien und Tricks werden in unserem Kopf geboren, um das Kind Gottes so zu manipulieren, dass es uns genau das, und genau dann, gibt, was wir uns ausgedacht haben. Nichts anderes ist es.
– Die Tricks, wie Zurechtweisung, Beurteilung, Schuldzuweisungen, Befehle, Auf-Mitleid-Spielchen, etc. bedeuten, dass wir den anderen für weniger schlau, als uns selbst, halten. Denn wir nehmen an, dass die Manipulationsversuche niemand mitkriegen wird, sonst würden wir es gar nicht versuchen. Wir halten uns für schlauer als unsere Nächsten. Das bedeutet die Anwendung von Tricks und die ganzen Manipulationen in einer Beziehung.
– Unser Selbstwertmangel wird zusätzlich genährt, weil wir weiterhin nicht glauben können, die Liebe auf normale Weise zu bekommen
– Egal, ob es funktioniert oder nicht, es wird mit wachsendem Leiden verbunden.

Es ist ganz schön viel Mist, der aufgeräumt gehört. Es befreit uns kaum mehr als die ohne Groll aufgegebenen Erwartungen. Sonst relativ schnell, ohne es zu merken, fangen wir die Beziehung zu sabotieren an, genau die, an welcher uns am meisten liegt. So viel zu Erwartungen, was sie eigentlich bedeuten.

Außerdem spielen unsere eigenen seelischen Mechanismen eine große Rolle, die den Liebesfluss bremsen oder gar verhindern. Der Zusammenschluss mit Gott funktioniert, aber der mit unseren Nächsten oft nicht, denn wir blockieren unbewusst von uns aus.

Das, was uns am meisten daran hindert, Wirkliches und Echtes zu empfangen, sind definitiv unsere Schuldgefühle. Ein kleines Kind in uns hat entschieden, sich für ein Missgeschick selbst zu bestrafen, das vielleicht in der Vergangenheit passiert ist. Vielleicht gab es einen Fehler, vielleicht ist gar nichts Schlimmes geschehen, wir bestrafen uns aber immer noch und wir leiden trotzdem unter Schuldgefühlen.

Wie oft begriff ich nach Jahren, dass meine vermeintlichen Fehler gar nicht vorhanden waren und absolut nichts Schlimmes geschehen ist, und trotzdem – ich wurde endlos von den Schuldgefühlen geplagt. Das Kind in mir glaubt, nicht würdig zu sein, um zu bekommen.

Manchmal sind die Schuldgefühle so groß, dass es unmöglich wird, sie selber zu tragen. Sie werden projiziert und wir sehen sie in anderen Menschen, obwohl sie unsere Eigenen sind. Sie gehen einfach über und wir spüren sie in anderen Menschen.

Für die Liebe bleibt kaum Raum mehr da. Anstatt den Liebesfluss zu fördern und zu sichern, lassen wir ziemlich ungöttliche Schuld hin und zurück fließen. Dadurch wird sehr viel Energie verschwendet und geht verloren. Ich sehe sie in einer Aura, die wie eine Blutung aus den Wunden In der Herzensgegend wirkt. Sie sehen für mich aus wie ein dunkelroter Wasserfall, der aus den Löchern strömt, die rechts und links vom Herzen platziert sind.

Hier und Jetzt, ohne nachzudenken und ohne den vermeintlichen Grund für die so hinderlichen Schuldgefühle in Beziehungen zu suchen, ist es wichtig sie frühstmöglich loszuwerden. Es ist schon dringend geworden, einfach anzufangen glücklich zu sein und die Beziehungen mit Gott göttlich zu gestalten, und sich ohne Erwartungen und ohne Schuldgefühle lieben lernen.

Die Liebe hat so viele Schattierungen und Farben. Es geht nicht immer um die erotische Liebe des Zuziehens und des Abstandnehmens. Es geht um jede Liebe. Es geht darum, unkompliziert dem Herzen zu folgen, weil dann gleich auch Gott da ist und sich mit Freude und Stolz an unserem Leben beteiligt. Gott hat dann gar keine andere Wahl. Er liebt die Kultur des Herzens.

Eine Überdosis an dem eher hellen Blau in der Aura kann zu einer Art Überdosis der Ruhe führen, die leicht in Depression mutieren kann. Grundsätzlich sollten alle Farben so ausbalanciert sein, wie sie in einem Regenbogen sind. Das ist die Aura des Himmels. Jede Farbe ist gut und schön, solange sie klar ist und mit den anderen Farben harmoniert.

Rot zeigt die Bewegung, die Änderung, aber in einer winzig kleinen anderen Schattierung wiederum einen Schmerz oder die Liebe. Das verwirrt mich am meisten, da muss ich besonders aufpassen und noch mehr bei der Interpretation sichergehen.

Zu den weiteren, sehr interessanten Farben gehört Violett, die ich die Farbe der mystischen Liebe nenne. Im weiteren Verlauf des Buches werde ich mich noch einmal genauer dem Violetten wenden.

Manchmal konzentrierte ich mich, natürlich als ich die Erlaubnis dazu hatte, auf die geistigen Farben der Aura. Stundenlang könnte ich darüber reden. Ich könnte die nächsten Bücher schreiben, und sie nur der Aura-Beschreibung und dessen Interpretation widmen. Die menschliche Energie ist so wunderschön. Ich könnte ewig das Zusammenspiel der mystisch leuchtenden Farben bewundern. Jeder Mensch ist anders. Ich fragte mich schon öfter, wie viele wunderschöne Seelen es gibt und warum diese Kinder es nicht wissen. Es gibt nur das Schöne zu sehen und Bereiche, die mehr Liebe benötigen.

Zu Beispiel Gelb – es ist gleichzeitig das intellektuelle Wissen und der finanzielle Segen. Wird es zu viel vom Guten, kann es zu übermäßiger Beschäftigung mit dem Materiellen, Finanziellen führen und trotzdem ist es der schöne, sonnige Mantel des finanziellen Schutzes. Das sehe ich als eine gelbe Überflutung, die sich über den ganzen Körper ausbreitet. Es nimmt die Form einer ovalen Eierschale an. Wenn sich der Mensch tatsächlich nur dem Finanziellen zuwendet, werden seine Gedanken und seine Handlungen, sein Leben, davon bestimmt. Kaum etwas dringt durch so eine gelbe Schicht zum Menschen durch und trotzdem ist es liebenswürdig, nur etwas einsam.

Ich lernte, dass es von Bedeutung ist, wie die Farben zusammenspielen, wie sie sich umrahmen. Wenn zum Beispiel das Rot dunkel und von einem Schwarz umrandet ist, deutet es auf eine Störung, einen älteren, physischen Schmerz hin. Nimmt man es wahr, will man gleich seinen Nächsten trösten, lieben, umarmen. Es gibt keinen Raum für irgendeine Kritik, Verurteilung oder Groll. Es gibt kein Hass oder Ablehnung, wenn wir nur Schmerzen oder ein Leid bei dem anderen sehen.

Einmal brachte ich meine liebe Freundin zum Lachen, während ich mich auf ihre Aura konzentriert habe. Ich erzählte und malte gleichzeitig, sodass die anderen ihre brillante Seele auch so bewundern konnten, wie ich. Als sie gelacht hat, sprang ein Feuerwerk von vielen, winzigen Funken von innen nach außen durch ihre ganze Aura hindurch. Es war so wunderschön, genial, grandios!

Grundsätzlich sind alle humanen Energiefelder fabelhaft und es ist eine unbeschreibliche Freude für mich, es zu sehen und mitzuteilen. Die Talente, besonderen Stärken, alles, der ganze Regenbogen ist eine Augenweide. Stellt euch eine kugelförmige Laser Show vor, bei der jedes Licht anders gefärbt und dazu noch beweglich ist. Jeder von diesen runden, beweglichen Strahlen steht für ein anderes, geniales, brillantes, ein sehr besonderes Talent oder eine wunderschöne, sehr einzigartige Eigenschaft.

Ein einzigartiges Erlebnis war für mich, zu beobachten, wie Gott sich freut. Es regnet von oben 10-20 Zentimeter große, weiße Feuerflammen, wenn unser lieber Gott sich freut. Wenn Barmherzigkeit, Gebet, Liebe da ist, kommt Gott und lacht mit hellen länglichen Lichtern auf alle von oben herab. Es regnet in Räumen, wo seine Kinder ahnungslos sitzen.

Fragt mich nicht, woher ich es genau weiß. Ich versuche allen Erklärungen gerecht zu werden, ich kann mich aber auch nicht an alles erinnern. Es wäre allein ein Buch über die Aura der Farben umfangreich genug.

Es entwickelte sich so gut, dass ich die Show, wie die asiatischen Kampfkünste meines Mannes, als eine Laser-Show genießen konnte. Die bunten Energieströmungen haben sich leiten lassen. Es war grandios, einfach unbeschreiblich schön. Die ganze Welt ist voll von farbigen Lichtern, so voll, dass ich mich meistens gut erden muss, um nichts zu sehen und vor dieser Art von Schönheit die (geistigen) Augen zu schließen. Ich muss die Menschen sein lassen. Ich kann denen unmöglich nachlaufen, um denen zu erzählen, dass es nichts gibt, um was sie sich sorgen müssen. Ich hätte so gerne jedem von euch mit viel Freude und ehrlich gesagt, dass jede Seele, jede von euch so einzigartig, ewig und großartig ist. Kein Schmerz ist ewig. Keine Sorgen.

Kapitel 3

Kirchen und Mystik

Es hört doch jeder nur, was er versteht.
Johann Wolfgang Goethe

Manche Menschen haben leider erschwerten Zugang zu den Geistigen. In manchen Fällen reicht der Glaube alleine nicht, um die geistige Sensitivität zu entwickeln, oft ist sogar ausgerechnet der Glaube hinderlich, die Stimme von Gott, der hier und jetzt ist, zu identifizieren, geschweige denn die Stimmen des Jenseits zu empfangen. Die Menschen werden von unterschiedlichen, gut gemeinten Ratschlägen und Vorsätzen verunsichert. Den schönen Regenbogen des Himmels, der die Kirchen beim Beten und in Gesängen erfüllt, von den himmlischen Gerüchen und oft von Engels Stimmen begleitet, können sie leider nicht sehen und hören.

Alles Beste, wie überall im Leben, liegt jenseits der großen Straße.
Theodor Fontane

Liest du leidenschaftlich die Bibel, bewunderst die Bilder der Heiligen mit strahlendem Auraschein, betest, gleichzeitig aber nimmst du an, dass Mystik von frühchristlichen Zeiten nicht viel mit dir zu tun hat? Das ist aber gar nicht war. Wann und warum hätte es sich ändern sollen? Denn die mystische Liebe Gottes ist unveränderlich und ewig. Sie hat aber mit der ganzen Sicherheit, mit dem Hier und Jetzt zu tun. Schenke den Menschen auf keinen Fall Glauben, die meinen, dass sie eigentlich gar nicht vorhanden ist. Nur die 2000 Jahre früher war es möglich? Oder nur für die Auserwählten, die unbedingt von weit entfernt herkommen müssen, und kirchlich anerkannten, genau in dem einen von 400 Denominationen, die genau ihre ist? Es kann doch nicht wahr sein.

Jeder Mensch, unabhängig von seiner religiösen Bekenntnis, kann den himmlischen Vater und die Mutter hören und fühlen. Es ist schon sehr angenehm, die Engel in 1000 Stimmen hören zu können, wenn sie singen. Es entgeht euch viel, wenn ihr es andauernd verneint, liebe gläubige, hochgeschätzte Christen in euren Gemeinden. Verneint es nicht, es lohnt sich nicht. Versucht, euch dem Göttlich-geistigen zu öffnen und genießt die spürbare Liebe Gottes. Genießt lieber, mehr oder weniger Gläubige, den spürbaren Schutz und die Führung von Oben!

Die verunsicherten Menschen entwerten in manchen Fällen entweder die direkte Kommunikation mit Gott, oder verneinen sie ganz, manchmal sogar stempeln sie sie als reine Fantasie ab. Wir wollen hoffen, dass sie nicht eifersüchtig sind, weil sie es selber gerne hätten.

Ich glaube, man sollte überhaupt nur solche Bücher lesen,
die einen beißen und stechen.
Franz Kafka

Es würde vielleicht einen Machtverlust bedeuten, wenn sie einem anderen die direkte Führung anerkannt hätten. Die Gemeinde-Aktivisten teilen ihre Macht sehr ungern. Letztendlich haben sie sie immer wieder mühselig erkämpfen müssen. Die individuelle Beziehung mit Gott ist oder kann bedrohlich sein. Was ist, wenn z. B. Gott mit jemand anderem, der jünger oder unbedeutsamer ist, oder sogar einem „Sündigen", mehr spricht, als mit dem Geschätzteren, Höheren in der Rangordnung (gibt es schon in jeder Gemeinde eine Rangordnung?)? Das sind die wichtigen Fragen und Angelegenheiten, die oft wichtiger sind, als Wohlergehen und eine persönliche Beziehung mit Gott zu jedem einzelnen.

Ein finanzieller Aspekt ist auch erwähnungswert bei der ganzen Sache. Es gibt eine Faustregel: Je mehr sich der Gläubige schuldig, sündhaft und unwürdig fühlt, desto mehr ist er bereit zu spenden. Die Haltung kann man mit vielen passenden Bibelstellen und Erklärungen untermauern und bestärken und das macht man auch.

Sollte jemand je darauf kommen, dass das Geld an sich neutral ist und dass der ethische Wert von der Motivation der Ausgabe und der Richtung abhängig ist und gar nicht von Menge, Besitztum, will man es vielleicht behalten und selber verwalten. Jesus hat den reichen Jungen angeschaut und er hat ihn liebgehabt. Er wies lediglich darauf hin, dass man es nicht überall mitnehmen wird, wie bei engen Eingängen, an denen man seinen Rucksack ablegen muss, den sogenannten „Nadelohren".

Ich litt lange unter Eifersucht von Christen, sehr lange. So lange, bis ich sie ignorieren lernte. Anstatt die Erfahrungen mit Gott durch Austausch und gemeinsames Gebet zu teilen, wurde mir unterstellt, dass ich es mir aus niederen Gründen ausgedacht hatte. Jedoch fast ausschließlich nur von den Aktivisten. Deshalb – hinterfrage die Zweifel und die Zweifelnden, wenn du geistig fühlen willst.

Es gab eine Zeit, in der ich mich sogar vor Gott über die Reaktion verschiedener Menschen auf meine Fähigkeiten beschwert habe. Es war an der Zeit, Gott selbst nach seiner Meinung zu fragen. Ich erzählte ihm, dass ich zu hören bekomme, dass ich mit meinen eigenen Eingebungen und bunten Energien nur arrogant sei.

Gottes Antwort ließ nicht lange auf sich warten. Sie war nicht nur logisch, sondern amüsant zugleich: „Ich selber nenne mich Gott, wie klingt denn DAS?" Hab keine Angst zu fühlen, sehen, hören, riechen, wie du es selber gerne möchtest. Hab keine Angst.

Eine esoterisch angehauchte Frau sagte mir: „Angeben mit geistigen Fähigkeiten ist nicht dein Thema". Hab keine Angst. Es ist nicht das Thema. Es geht um besondere Wahrnehmung, die sich in der Beziehung zu Gott lohnt. Das ist das Lebensthema. Warum sich so viele Menschen so viel Mühe gegeben haben, mir die Fähigkeiten auszureden, bleibt mir ein Rätsel. Es ergibt keinen Sinn, jemandem zu sagen, dass er oder sie ganz anders sein soll, wie er oder sie bereits ist. Zum Glück ist es unmöglich, den Menschen das Denken zu verbieten.

Es war auch nicht mein Thema, definitiv nicht, und sobald ich in mir gefestigt und das klar war, stellte mir keiner mehr dumme Fragen.

Es ist schon bemerkenswert, wie die Menschen uns verunsichern können. Warum lasse ich ihre Stimme so mächtig werden? Warum kümmert es mich? Warum denke ich darüber nach, was wer warum gesagt hat? Es ist, als ob ich viel zu viel Gewicht an ihre Meinungen hing, die vielleicht nur unüberlegte Wörter waren.

Es ist, als ob sie einen zweiten Gott spielten, sonst würde ich deren Worten nicht so viel Bedeutung, so viel Raum nehmen lassen. Vielleicht ist die Regel immer so: Je mehr die Menschen meinen Gedanken und Gefühlen den Raum nehmen, desto weniger Platz für Gott. „Du wirst keine Götter außer mir haben und keinen Götzen dienen". Nicht einmal die Götzen der Probleme, Sorgen, Unsicherheiten, nicht einmal die Götzen des Grolles haben Recht auf so viele Gedanken in meinem Kopf. Nichts soll größer sein als Gott. Wenn wir anders fühlen, stimmt etwas nicht.

Ich wollte reden. Ich brauchte Austausch. Ich wollte jemanden treffen, der die Welt so sah, wie ich es tat. Teilweise meine Mutter, Schwester und besonders meine Oma verfügten über eine besondere Intuition, Vorahnungen und Kräfte. Was Oma sagte, das wurde wahr. Was sie sah, stimmte immer.

Eines Tages, als ihr Vater vom Jenseits geschickt wurde, hat er ihr Leben und das ihrer Familie gerettet. Erst aber, als ich heiratete und meine eigenen Kinder hatte und erst, als die eigenen Sprösslinge sprechen lernten, konnte ich gute Gesprächskameraden genießen.

Ich entdeckte, dass zu der typischen störenden Haltung meiner Mitmenschen auch eine völlig übertriebene Erwartungshaltung gehört, dass der spirituell sensible Mensch allwissend sein sollte, ausgesprochen heilig, fehlerfrei, fast allmächtig, aber unbedingt allwissend. Das würde sie nämlich um die eigene Verantwortung erleichtern. Denken müssten die Fast-Freunde in dem Fall selber nicht mehr, sich nicht mehr bemühen und nach eigenen Antworten suchen. Sie hätten mich dann auch in aller Ruhe für ihre Probleme verantwortlich machen können.

So viele Vorteile auf einmal. So praktisch ist es zu denken: Sie ist geistig. Sie weiß mehr. Sie soll mir sagen, was ich tun soll. Sie soll mir sagen, warum ich leide. Sie soll mir sagen, wie ich reich werde. Sie soll mich trösten, motivieren, letztendlich sieht sie etwas Weises, was ich nicht sehe. Sie soll mich und meine ganze Familie tragen. Sie soll sich um alle anderen kümmern. Letztendlich sieht sie die Aura.

Viele Kirchenväter würden am liebsten den (Ganz- oder Teil-) Hellsichtigen einsperren, vom „gewöhnlichen" Volk „beschützen", sogar jegliche Kontakte mit Familie verbieten und aufpassen, dass so wenig gefilterte Informationen wie möglich durch die kirchliche Mauer nach außen durchdringen können. Aber gleichzeitig auf ein Podest stellen und die etwas Sensibleren, als Durchschnitt, anstatt Gott anzubeten. Es wäre so praktisch, jemanden zu haben, den man zur Ablenkung oder für Spendenzwecke vorführen kann. Alle Kranken sollen in einem Augenblick geheilt sein und alles Übel soll verschwinden vor dem Anblick des einem Menschen, der Gott im Gebet hören kann und die Engel sehen. Sie sollen die Kasse klingeln lassen wie in alten Zeiten.

Ganz schön viel Last für einen hochsensiblen Menschen.

Die Mystik wird oft mit Esoterik verwechselt. Das Wort „Aura" ist verbannt von christlichen Kirchen. Das, was an jedem „heiligen" Bild, jeder Ikone zu sehen ist, der Schein der Heiligen, die geistigen Wesen, die Strahlen, das ist doch keine Aura, würden viele meinen!

Die oben beschriebene Haltung erschwert nur das Leben und lenkt von wirklicher Spiritualität, authentischem Glaube und lebendigem Kontakt mit Gott ab. Mein Vorschlag wäre: Lasst doch jeden sich auf seinen eigenen Draht zu Gott konzentrieren, uns gegenseitig mit Zeugnissen bestärken und bereichern. Wäre es nicht produktiver und einfach schöner, liebevoll die Erfahrungen auszutauschen, voneinander zu lernen, ohne die Wichtigkeit von spirituellen Erfahrungen zu über- oder zu untertreiben? Wäre es nicht schöner, das ganze Leben mit Gott, sich selbst, Mitmenschen, den Tieren, Pflanzen, allen Lebewesen, die Welt lieben zu lernen? Die geistige Seite wäre eine Bereicherung, um eine weitere Schönheit besser zu kennen.

Denn Gott ist nicht anders und nicht weiter von uns, als der Gott, der vor 2000 Jahren über Tausende von Jahren die frühchristliche, und sogar schon frühere, Geschichte durch Eingebungen, Träume, durch Propheten und direkt durch die Menschen geführt hat. Gott lebt, Er spricht heute zu uns, Er versucht uns zu führen, Er macht sich Sorgen um uns, Er liebt uns unendlich!

Ein besonderer Platz in meinen Herzen wird erfüllt von den lieben Zeugnissen von Menschen, die ohne besondere Führung ganz einfach durch das Leben schreiten und lieben können. Sie wissen ganz von sich aus, was sie zu tun haben und wie sie leben sollen. Sie brauchen keine Offenbarung, um zu lieben und zu dienen. Sie haben es nicht nötig, sich zu über- oder zu unterschätzen. Sie nehmen jeden so, wie er oder sie ist.

Ich denke hier an einen weiteren Freund von 585. Wenn er mir seine Hand reichte, fühlte ich, wie die Meine Seine durchdringt und verschwindet. Sie hat sich unendlich weich angefühlt. Das Besondere an ihm war, dass, ohne die Engel zu sehen, er selber wie sie war.

In meiner Anwesenheit setzte sich der ältere Mann sehr selten in den Sessel. Stattdessen setzte er sich auf den Boden, weil er den Sessel lieber den begabteren, besseren Menschen von Herzen geben wollte, als ihm selbst. Das sagte er ausgesprochen ehrlich. Es begleitet mich schon mein ganzes Leben.

Einfachheit ist das Resultat der Reife.
Friedrich Schiller

Mystik ist schön. Ein unkompliziertes, helles Herz ist vielleicht noch schöner. Es geht nicht darum, wer besser ist oder begabter. Es geht um die Menschen, die es sein lassen, um einen eigenen, ehrlichen Lebensweg zu finden. Mit oder ohne Mystik – dieser Weg soll möglichst frei von Vorurteilen sein und möglichst voll von Gott, Liebe und Freuden.

Kapitel 4

Mama, Papa, wie geht es Euch?

„Es ist Mal ganz was anderes, als ständig auf dich aufzupassen"
sagte Jesus, als ich ihn gefragt habe, ob ich ein Buch schreiben
soll und ob er mir dabei helfen würde. Die Gespräche mit Jesus,
oder mit Gott, Mutter, Vater sind faszinierend. Wie sehr sie
mich berühren, kann ich nur mit dem Gefühl vergleichen, das
kommt, nachdem ich einmal große Hilfe gebraucht habe, aber
nicht danach fragte und sie dennoch bekam. Es fühlt sich immer
wieder wie ein Wunder an. Es dringt ein Gefühl des Glücks in
die Seele ein. Das Gespräch mit den Himmlischen Eltern, das
ich eindeutig das Eingreifen Gottes nenne, fühlt sich so überraschend gut an, wie der Trost von Menschen, die man eigentlich selber trösten soll. Die Gefühle sind von gleicher Qualität
und Intensität: Ein Wunder der unerwarteten Hilfe, Ein Trost
von einem, dem es schlechter gehen sollte als mir selbst und ein
Gespräch mit Gott.

Dazu ist es auch noch einfach unterhaltsam, die Gespräche
mit Gott zu führen. Der Schöpfer hat Sinn für Humor. Eine Zeit
lang war ich traurig und bat ihn im Gebet um eine Freude. Ich
dachte, dass ich es verlernt hatte. Ich wurde dann von irgendjemanden wie durch Zufall zu einem stundenlangen Feuerwerk
mit Musik eingeladen. Das war die Freude, die ich als Antwort
„zugeschickt" bekommen habe. Was für eine Antwort, ein
richtig göttliches Vergnügen: Ein prächtiges Feuerwerk. Gott
ist wie Gott sein soll: Viel größer, als wir denken können und
zum Glück unberechenbar.

Er richtet nicht. Es kommt nie, einfach nie, eine Anschuldigung
von seiner Seite. Egal, wie oft wir die Bibel lesen würden, wir
finden nie, nie eine Schuldzuweisung. Sogenannte Sünde schon,
vielleicht ein Fehler, vielleicht ein Entsetzen vor dem, der ein

Ereignis an einer bestimmten Stelle beschrieben hat, aber nie eine Anschuldigung. Wenn eine kommt, dann war es kein Gott, den du gehört hast. Nach dem du die Worte von deinem Vater/Mutter aus dem Himmel erlebst, hast du Kraft, egal, wie traurig du bist und du fühlst dich besser und nicht schlechter.

Immer, wenn ich es brauche, stelle ich mir vor, in den liebevollen Armen Gottes zu sein. Sobald ich in dem Gefühl von besonderem Frieden zerschmelze und zerfließe, kann ich Gott jede Frage stellen. Ich bekomme dann auch eine Antwort. Ich kann sie am deutlichsten hören, besser als im Gebet, wenn ich oft zu viel an verschiedene Anliegen und Bitten gedacht habe.

Jeder von uns wird mal von tiefer Trauer umgeben. Es besteht ein wesentlicher Unterschied zwischen der göttlichen und der egoistischen Trauer. Der Trauer, die mit dem Göttlichen eins ist, beraubt dich nicht deiner Kraft. Du magst vielleicht betrübt sein, es wird dir aber keine Energie fehlen, um verantwortlich zu bleiben und dein Leben zu leben.

Ich bin mir unsicher, ob Elohim überhaupt wusste, wie Anschuldigungen gehen. Aus meiner Erfahrung kann Gott es gar nicht, weil es auch überhaupt keinen Sinn macht und keine positiven Änderungen bringt. Verlass dich darauf, dass Er dich unendlich liebt und du kannst immer zu Ihm kommen.

Und es gibt noch mehr als das … Es gibt viel mehr von Gott, als nur mit uns zu reden oder uns nie zu beschuldigen.

Zeichne eine Linie. Es soll die Linie des Lebens sein, deines Lebens. Mit deinen Lebensjahren darauf (in 2–3 Jahresabständen). Markiere die besonderen, markanten Ereignisse in deinem Leben, die irgendwie wichtig für dich waren. Deine Geburt, außergewöhnlich traurige oder fröhliche Momente.

Wie war es im Moment deiner Geburt? War es schnell und unkompliziert oder hast du schon damals einen himmlischen Beistand bekommen müssen? Gab es in deinem Leben eine besondere Hilfe oder Erfahrung mit einer schweren Krankheit? Kannst du Gott für eine besondere Zusammenführung dankbar sein? Gab es sie öfter? Wie war es mit finanzieller Hilfe? Wie hat Gott seine Hilfe und seinen Beistand im entscheidenden Augenblick gezeigt? Wie war Er anwesend oder durch wen?

Hat Er direkt eingegriffen? Jemanden geschickt? Mitgeweint? Mitgelitten? Mitgefreut?

Und es gibt noch mehr als das, viel mehr von deinem himmlischen Vater und deiner Mutter zu wissen …

Es mag sein, dass es genau die besonderen Momente waren, als Gott für dich offensichtlich präsent war. Jetzt gibt es für dich good news. Er ist immer da gewesen, dein ganzes Leben, jede Sekunde. In jedem Augenblick ist er als fürsorglicher Vater da gewesen. Nicht nur in „Torsituationen". Ständig, allwesend und öfter nur durch uns selber daran gehindert, Gutes zu tun, manchmal hoffnungsvoll oder besorgt, enthusiastisch, traurig, überrascht, stolz auf uns.

Ich werde dir Geschichten erzählen, wie ich seinen Atem gehört, seine grüßenden Küsse gespürt habe und sogar gerochen. Ich werde darüber erzählen, so gut ich kann, mit der Hoffnung, dass meine Geschichten dich entweder an all deine wunderbaren Erfahrungen erinnern werden, oder dir Inspiration geben, um auf die geistige Welt, die sonst viel zu oft unsichtbar bleibt, die Augen zu richten.

Es mag eine Gelegenheit sein, dich in die guten Gefühle deiner Sternstunden wieder hineinzuversetzen und wieder neue Kraft daraus zu schöpfen, oder dir auf neue Erfahrungen Lust zu machen. Wenn ich Vater sehen, spüren, fühlen, riechen kann, kannst du es mit Sicherheit auch noch besser.

Da gibt es die zwei Fähigkeiten, die erstrebenswert sind: Eine lebendige Beziehung zu Gott zu haben und lieben lernen, um die geistige Welt zu verstehen. Dazu gehört auch die Hellsichtigkeit selbst, sie ist aber nicht erstrebenswert in sich, weil sie uns nicht automatisch zu besseren Menschen macht.

Ich kannte ein richtig himmlisches Geheimnis. Ich weiß genau, was mich besonders stark und sicher mit Gott zusammenbringt. Gott liebt es, gefragt zu werden: „(himmlischer) Papa, Mama, wie geht es euch? Wie fühlst du dich jetzt in dieser Situation?". Er sagt doch gleich, wie es Ihm geht, oder gibt ein Gefühl, eine Ahnung von dem, wie Er das sieht, was die Menschen sehen. Psychologisch und praktisch gesehen ist es für uns selber gut, einmal von unserer eigenen Haut auszusteigen und die gegebene Situation einmal mit anderen Augen zu betrachten. Ich schätzte die Antworten der himmlischen Eltern. Ich fragte ihn gern und oft, wie es ihm geht. Das kurze Aussteigen von täglichen Lebenssituationen gab mir nicht nur die Sicherheit, sondern auch Weitsicht und einen Zugang zu komplizierten, verschleierten Situationen.

An den Abenden, die nur dazu da sind, um sich für den nächsten schwierigen Tag vorzubereiten, anstatt zu versuchen, dem Stress der bevorstehenden Begegnung zu entkommen. Es ist immer möglich, sich nach Gott umzuschauen und ihm eine tatsächliche Frage zu stellen. Ein Versuch ist es wert.

So oft wurden liebevolle Wörter in mein Ohr geflüstert: „Mach dir keine Sorgen. Raste aus. Morgen wird alles ganz anders sein". Mit dem Flüstern floss auch Frieden in die Seele. Und es war an dem ein oder anderen Morgen alles ganz anders. Die überraschenden, im Moment unlogischen Antworten werden schon kommen.

Ich hatte in der Kindheit das Gefühl, dass es viele Menschen geben muss, die die Süße der Hilfe Gottes kennen. Gott hat keinen Mund außer den seiner eigenen Geschöpfe. Deshalb kommen die Heiligen der Vergangenheit und hören unseren Gedanken zu und flüstern die Antworten in unsere Ohren. So einfach funktioniert es. Es gibt so viel Liebe in der geistigen Welt. Das ist der Grund, warum sie zu uns kommen. Die Seelen, die vor uns gelebt haben, kehren zurück und sind für uns da. Nicht, weil sie ein Rätsel lösen möchten, wie es oft in Filmen dargestellt ist. Diejenigen, die uns helfen, das sind die Guten, sie tun es der Liebe wegen. Warum würde der 585 sonst seit seiner Kindheit mit seinem Frieden zu mir kommen... Gott der Vater und der Heilige Geist der Mutter könnten sich im Himmel an seiner Herrlichkeit erfreuen, Sie tun es aber nicht. Sie sind ständig bei mir und bei dir. Ich fühle es stark und ich weiß es ganz sicher.

Kapitel 5

Die Ahnen verbinden uns

Als ich klein war, sah ich oft meine Ahnen. Die besuchten mich besonders in der Kindheit sehr zahlreich, so wie Ameisen. Sie sprachen mit mir, wenn ich alleine war. Ich mochte ihre Anwesenheit. Es tat mir gut zu wissen, dass ich nicht wirklich alleine war. Vielleicht machten sie sich deswegen so klein, um mir keine Angst zu machen.

Ich wusste schon von Omas Erzählungen, dass es die Hilfe von oben gibt.

Meine Oma war eine gläubige Frau. Sie hat Kriege erlebt, das jahrelange Verbannen, alle denkbaren Verluste erlitten. Nach dem Zweiten Weltkrieg wohnte sie in den Grenzgebieten in verschiedenen Ländern, die jahrelang auf der dunklen Seite waren. Bis 1947 dauerten dort noch extrem blutige Kämpfe an. Vor vielen Generationen wurden die Gebiete eines Landes von einem anderen stolz weggenommen und erobert. Die Antwort der Bevölkerung darauf war Kampf und Rebellion. Nach einigen Jahren wurde vergessen, wer wem was weggenommen hat, wer der Eroberer und wer der Verlierer war. Es wurde gekämpft.

Die alten, gierigen, stolzen, dummen, perversen, verfluchten, teuflischen Männer fangen Kriege an. Die Jungen kämpfen und sterben. Die Frauen fangen keine Kriege an. Die Frauen lügen nicht: Fahr weit, weit weg und erschieße jemanden, der so jung ist wie du. Die alten verlogenen Männer sagen: Fahr und töte. So dienst du dem Land.

Mit der Zeit vergisst man, wer warum angefangen hat. Die dritte Seite verstärkt die Konflikte und lügt und lügt. Teile und regiere ist das Motto.

Um den anfangs nicht nachvollzierbaren Rat des Geistes, der meiner Oma erschienen ist, zu verstehen, ist es nötig, die Zustände damals zu erläutern.

Die Soldaten gingen auf den Priester los. Sie schnitten seinen Körper entzwei. Das tut noch mehr weh, denn es tut dem ganzen Dorf weh. Die Dorfbewohner wollten sich rächen. Sie gehen 80 Km und schneiden durch jeden Fremden, den sie treffen. So stark ist der Schmerz, den sie durch die Rache abtöten wollen, Aber dann wird erst ab diesem Moment erzählt, nicht früher. Die Zuhörer fangen und foltern daraufhin irgendjemanden. Mein Opa wurde gefangengenommen, als er auf dem Feld war und so stark und lang geschlagen, bis sein Gesicht blau-schwarz war und nicht wiederzuerkennen. Nicht einmal für seine Frau. Dann ließ ihn einer frei.

Ein anderer kam zu meiner Oma und sagte: Dein Mann lebt. Und als Opa nachhause kam, fragte sie weiter, wann er zurück-kommt, denn sie erkannte ihn nicht.

Oma konnte es nicht mehr verkraften. Sie erinnerte sich immer wieder an die Folter und an den Mann, den sie nicht er-kennen konnte nach der Folter. Opa sagte: Erzähle es dem Kind nicht. Man muss verzeihen. Man muss Feinde lieben. Verzeih bitte und erzähle es dem Kind nicht.

So oft wurden Familien mit Kindern ins Feuer geworfen. Eine andere Oma fand ihre Familie nicht, weder Tochter noch ihren Mann noch ihre zwei kleinen Kinder. Es wurde ihr unter Todesdrohung verwehrt, sie zu suchen.

Es dauerte zwei Jahre, die Hölle damals. In dieser Nacht kamen Soldaten, um zu töten. Untertags kamen Kommunisten, um ihre Lügen zu erzählen. In der Nacht floh die Familie durch einen Geheimgang aus der Hütte ins Feld. Nur eine Uroma betete und meinte, sie kann ruhig schlafen, denn es wird ihr nichts passieren. Sie hat die damalige Hölle ohne Wunden überlebt. Alle anderen hatten nicht so viel Urvertrauen. Sie rannten jede Nacht weg, um nicht lebendig verbrannt zu werden. So waren die Nächte.

Untertags kamen Kommunisten, um vom kommunistischen Paradies zu erzählen und zu lügen, um die Menschen in einen anderen Ort zu locken, den sie Heimat genannt haben.

Meine Oma hatte die Wahl: Entweder konnte sie mit der Familie in das kommunistische Paradies übersiedeln, laut damaliger Propaganda also direkt ins Paradies, oder bleiben und warten, bis

sie von damaligen Soldaten, wo ihr Bauernhaus stand, gnaden-
los und brutal ermordet wird. Einer von ihnen hat einmal Omas
Tochter, die gerade erst 6 Wochen alt war, gepackt, auf die Straße
geworfen und sie lange daran gehindert, sie zu retten.

Oma sparte schon das notwendige Geld für die Reise. Die
Hölle in ihrem Dorf war nicht zu ertragen. Sie sagten oft: „Wenn
man sich doch nur für zwei Jahre ins Grab legen könnte, um
dann später wieder aufzuerstehen". Man konnte es nicht. Deshalb richtete sich die Familie darauf ein, auf die Reise zu gehen.
Ins Paradies hieß es damals. So einfach war die Entscheidung.

Eines Tages, früh im Morgengrauen, hörte meine Oma, wie
die Tür in ihrer Bauernhütte aufging. Ihr verstorbener Vater
stand direkt vor ihr. Er sagte: „Olga, du darfst nicht in das
kommunistische Dorf fahren. Dort erwartet dich nichts Gutes.
Verstehst du? Nichts Gutes erwartet dich dort." Der Geist des
verstorbenen Vaters schaute ihr noch direkt in die Augen, sodass
sie es verstehen soll. Danach setzte er sich seine Mütze auf und
ging fort. Sie hörte seine Schritte noch im Matsch. Seine Liebe
und Fürsorge war stark genug, um die Dimensionen zu durch-
schreiten und seine Tochter durch die Welten zu schützen.

Oma Olga konnte nicht mehr einschlafen. Ruhig wartete sie
und betete, bis auch Opa wach war. Sie erzählte ihm, was geschehen war und wie real es war. Die geistige Realität ist stärker
als das, was wir anfassen können. Sie ist unvergesslich und ausgesprochen real.

Nachdem Opa die Geschichte hörte, sagte er gleich: „Das
war ein Zeichen direkt von Gott. Wir sollen da bleiben und an-
nehmen, was auch immer auf uns zukommt". Das bedeutete,
jede Nacht durch geheime unterirdische Gänge ganz weit weg-
zuschleichen, um nicht lebendig verbrannt zu werden.

Sie haben überlebt, trotz darauffolgender Verbannung und
trotz dem, dass sie alles wieder verloren hatten, was sie besaßen.
Die anderen Verwandten, die in ihren Familien auch entweder
Freiheitskämpfer oder Geistliche gehabt haben und abgereist sind,
blieben für immer verschwunden. Vielleicht sind sie zu weißen
Bären geführt worden, sagte man. Mit ein bisschen Glück nur
tausende Kilometer in die Eiswüste.

In den meisten, wenn nicht in allen Fällen, wurden sie von Paradies-Versprechern getötet.

Es war kein Zufall, dass ausgerechnet Uropa ihr erschienen ist. Er war in seinem Leben ein Diakon. Gott schickte ihn zu meiner Oma, die die Geister gesehen hat wie ich. Gott hat einen Geistlichen aus dem Geisterland gebraucht, um die Familie zu retten.

Oma erzählte mir auch, wie noch zu Lebzeiten ihres Vaters einmal ein seltsames Buch von Dorf zu Dorf, von Tür zu Tür im Umlauf war. Es handelte sich um Zaubereien, die die Menschen reich machen sollten. Jeder, der es gelesen hatte, war verändert. Die Menschen, die es in die Hände bekommen haben, lasen das Buch und sie machten verrückte Sachen, die da angeblich beschrieben waren: Sie brachten schwarze Katzen um und sie gruben in Obstgärten nach Schätzen. Sie machten alle möglichen verrückten Dinge, um an den Reichtum zu gelangen.

Der Wahn hatte kein Ende. Bis Uropa es eines Tages in seinen Händen hielt und der Versuchung wiederstanden hat, das seltsame Buch zu lesen. Was er damit getan hat, wusste niemand. Wo hat er das verfluchte Buch begraben oder hat er es vernichtet? Der Wahn hat sein Ende genommen. Keiner hat sich mehr seltsam verhalten. Sein Glaube rettete ihn und das Dorf vor dem Wahnsinn.

Ich traf Opa und Oma wieder einmal, als ich ihre Gräber besuchte. Sie wussten, dass ich in der Kindheit die Begräbnisse kaum überstehen konnte und sie sind so verstorben, dass ich sie nicht begleiten habe können. Ich war also zum ersten Mal an ihrem Grabe.

Opa kam einmal im Traum gleich nach seinem Tod. Er näherte sich mir und gleichzeitig war mir klar, dass er das noch nicht darf. Er wusste es genauso wie ich, trotzdem vermisste er mich fürchterlich und so kam er ohne „Genehmigung" zu mir, doch verwandelte sich, kurz bevor er mich anfassen konnte, im Traum in ein Monster. Es erschrak mich nicht, weil ich den Grund für seine Umwandlung kannte, ohne zu wissen, wie genau das geistige Gesetz lautete.

Jahre nach dem Tod stand ich also vor ihrem Grab und betete. Zuerst spürte ich eher eine Abwesenheit als eine Leere.

Ich spürte, wie sehr sie mir fehlten. Ich wollte ihnen unbedingt begegnen.

„Die sind gar nicht da" dachte ich. Ich habe sie gerufen:
Ich bin's! Wollt ihr mich gar nicht treffen?

Nach ein paar Minuten spürte ich die warmen, bekannten, von der schweren Arbeit gezeichneten Hände. Sie streichelten meinen Kopf. Beide sind gekommen, Oma und Opa. Ich war erleichtert. sie konnten mich also vom Jenseits hören.

– Wie geht es euch?
– Wir vermissen dich. Komm zu uns!
– Ich will noch nicht. Meine Zeit ist noch nicht gekommen.
– Es wird dir gut bei uns (gehen). Wir brauchen dich.

Ich blickte in die Vergangenheit zurück, wie ich im Sommer die Erdbeeren immer für sie pflückte und ich merkte, wie egoistisch die Liebe meiner Großeltern einst teilweise war. Noch mehr verstand ich unsere Beziehung von damals auf dem Rückweg, als ich auf der Autobahn mit hoher Geschwindigkeit fuhr. Sie flüsterten selbstsicher in mein Ohr:

– Mach kurz die Augen zu und du bist bei uns.
– Ich will nicht.
– Es wird dir gar nicht wehtun. Nur eine Sekunde und du bist bei uns.
– Ich will noch dableiben.
– Schau nach links. Beschleunige und lenke links ein. Da bleibst du dann stehen und bevor sie dich finden, wirst du schon bei uns sein.

Dann zeigten sie mir wieder die Bilder aus meiner Kindheit, die auf den ersten Blick glücklichen Momente. Ich wusste gleich, dass ich etwas gegen ihren Egoismus tun muss.

Es gibt in der geistigen Welt eine Möglichkeit zur Entwicklung für die Menschen, die schon gestorben sind. Normalerweise brauchen sie uns und die Energie unserer guten Taten. Die Energie, die wir sonst als Freude, nachdem wir eine gute Tat vollbracht haben, kennen.

Es gibt jedoch noch eine andere Chance. Ich wusste von den Seminaren, die sie besuchen konnten. Ich beobachtete schon, wie sich während der Seminare in der geistigen Welt die Seelen der Teilnehmern änderten, das Gewand, das sie trugen heller und schöner wurde und die düstere Atmosphäre um sie herum Schritt für Schritt verschwand. Ihre Gesichter erstrahlten und sie setzten sich immer wieder weiter nach vorne, wo die Heiligen sie unterrichteten.

Ich betete für meine Großeltern und schickte sie zu solchen geistigen Schulungen. Immer wieder bat ich Gott, die Engel zu schicken und meine Großeltern mitzunehmen und wegzuführen. Mit der Zeit vergaß ich die ganze Situation und ich dachte nicht mehr darüber nach, bis vor Kurzem.

Es ging mir schlecht. Ich weinte beim Kochen bis ich mich in den Finger geschnitten habe. Ich sprach die Psalmen des 13. Jahrhunderts in der alten Sprache nach, die meine Oma mir beigebracht hat. Sie liebte die Melodien und die Bedeutung der Wörter. Meine Oma kam plötzlich sehr strahlend von oben herab. Ich fragte sie:
– Bist du schon gesegnet?
– Ja.
Ich sah Opa hinter ihr, nur weniger klar als sie, etwas versteckt, irgendwie weniger anwesend.
– Bist du traurig, mein Kind?
– Ja … Was soll ich tun, Omi?
– Es ist nicht wichtig, die Leute und ihre Wörter.
– Was ist denn wichtig?
– Segne die Menschen.
– Ist es so wichtig?
– Es ist sehr wichtig, so wichtig, dass Gott es jetzt unbedingt will.

Sie sagte es so emotional, dass sie von der Ernsthaftigkeit der Sache zu weinen begann. Sie weinte mehr und mehr, zitterte am ganzen Körper. Schnell verschwand sie wieder, um mich mit dem Weinen nicht zu sehr zu erschrecken.

Öfter hört man: „Es ist nicht wichtig". Öfter hört man die guten Ratschläge, die man sogar für wahr hält. Die bleiben aber meistens im Kopf stecken, ohne ins Herz zu gelangen und deshalb verändern sie nichts, egal, wie wichtig und gut sie für uns sind, diese verschiedenen Wahrheiten.

Wenn meine Oma mir erschien und zu mir sprach, war es anders. Es kümmerte mich nicht mehr, was wer alles von mir will.

Ab dem Moment wollte ich nur noch die Menschen finden, die ich segnen könnte. Ich konnte sicher sein, dass meine Oma und mein Opa im großen Ausmaß wiederauferstanden waren, wenn sie schon so stark um Gottes Willen wussten. Mein Gebet zeigte seine Wirkung, denn die heilende Liebe hat dem Egoismus den Platz genommen. Meine Großeltern riefen mich nicht mehr zu sich, sie halfen mir, mein Leben im Hier und Jetzt zu meistern.

Ich ging noch geistig zu dem Mann, der früher graue Anzüge trug, um ihn zu besuchen. Er war ganz in weiß gekleidet und viel zu beschäftigt, um zu reden, beschäftigt mit dem Segnen der Menschen. Ich wusste sofort, dass er ununterbrochen segnete und er segnete die Menschen im Himmel, da er schon fortgegangen ist. Meine Oma hatte Recht. Ich sollte dasselbe tun.

Kapitel 6

Die Kommunikation

Am Himmel geschehen Zeichen und Wunder.
Friedrich Schiller

Oft ist eben die Führung Gottes nicht so spektakulär, wie die erscheinenden Geister oder die wunderbaren Offenbarungen. Die Hinweise sind sanft und leicht zu übersehen. Sie kommen als eine leise Vorahnung, sodass man anfangs gar nicht weit, ob sie es wirklich sind oder einfach eine Idee von vielen. Sie fließen in die Seele hinein wie ein Gefühl, manchmal kommen sie als eine unerwartet erzählte Geschichte, die ein Hinweis von „zufällig" getroffenen Menschen beinhaltet.

Alle Gedanken sind bereits im Kopf, wie alle Statuen bereits im Marmor sind.
Der Verstand entdeckt sie lediglich.
Carlo Dossi

Ich höre gerne Lieder. Phasenweise berührt mich ein und dasselbe Lied länger. Ich lernte, dass ich es genau hören muss, um die Wörter auf mein Leben zu übersetzen. Es hat einen Grund, warum ich gerade dieses Lied ständig hören will. Es kommen Engel, die tippen uns leicht an und machen uns damit auf ein bestimmtes Lied aufmerksam. Es geschieht nie ohne Grund. Sie wollen uns helfen, uns durch momentane Lebenssituationen führen und unterstützen. Sie wollen uns mit der Hilfe des Liedes etwas kommunizieren.

Es muss gar nicht der Ohrwurm sein. Es fühlt sich nicht danach an. Es fühlt sich nach der Resonanz im eigenen Leben an, ohne, dass wir eine bewusste Entscheidung treffen, um genau dieses bestimmte Lied zu hören. Wir wählen es nicht bewusst und nicht selber aus. Manchmal sind es genau die Engel, die unsere Ohren aufmachen und unbemerkt zu uns flüstern: „Höre aufmerksam zu und liebe es, denn das ist das Lied, das dein Leben jetzt spielt".

Es kommt ein Bedürfnis auf uns zu, das Lied immer wieder zu hören, dieses bestimmte Lied. Ein Lied ist ein sicheres Zeichen, dass es eine Situation gibt, die viel Aufmerksamkeit benötigt. Diese wird in dem Lied beschrieben. Es ist ein Zeichen, dass wir uns auf die Suche begeben müssen. Mehr eine Aufgabe als eine Lösung will gefunden werden. Es geht kaum darum, dass etwas gelöst, aufgearbeitet und schon gar nicht beweint werden muss. Es geht um das Verständnis. Die liebevolle Klarheit genügt meistens.

Ein Lied berührte mich einmal für ein paar Tage viel mehr als andere. Satz für Satz hörte ich und zuerst wusste ich nicht: Ist das eine Warnung, eine Prophezeiung oder eine Feststellung und Beschreibung der jetzigen Situation? Das Lied handelte von der Liebe und dem Ausweichen. Ich suchte intuitiv nach dem, was ich nicht selber sehen konnte. Als ich ein Buch „per Zufall" sah, mit den Worten: „Erwarte nicht, dass jemand anderes errät, was du dir wünscht. Sage es einfach, teile dein Herz mit", kam ich darauf, dass ich sehr viel in einer Beziehung annahm.

Ich setzte mich und schrieb meine Herzensfreundin an. Das war das Beste, was ich tun konnte. Es hat die emotionelle Nähe in der Beziehung auf eine ganz andere Ebene katapultiert.

Die Worte über die Liebe selbst haben meinem von Minderwertigkeitsgefühlen geplagten Herzen die Sicherheit gegeben, dass ich geliebt werde. Das einst so besondere Lied, dass ich mir sehr oft anhören wollte, hat sich wieder unter den anderen Liedern eingereiht.

Manchmal sind es die Heiligen, die zu uns Gottes Botschaft tragen. Ich pilgerte zu einer Höhlenkirche. Die Mönche lebten einst dort in Höhlen. Sie beteten und fasteten viel. Manchmal setzten sie sich für die ganzen 40 Tage auf eine Steinbank, sperrten die Tür zu und beteten. Sie ließen sich von nichts ablenken. Das Wasser und Brot haben sie bewusst und freiwillig durch ein kleines Türfenster empfangen. Sie haben eine Gabe gehabt, die Zukunft zu prophezeien.

Natürlich wollte ich unbedingt wissen, wie es funktionieren könnte und wie es ausschaut. Ich setzte mich in eine ausgesprochen alte Zelle und öffnete mich für das Geistige. Die Zukunft wollte ich nicht wissen, nur den Mechanismus, der den frommen Mönchen die Gabe praktisch ermöglichte.

Ich sah die guten Geister, die zu meinen Ohren flohen. Es waren die heiligen Mönche von früher, die zwischen Gott und meinen Ohren kursierten, um mir Gottes Antworten zu flüstern. Natürlich musste es auch in der Vergangenheit so gewesen sein. Gott braucht uns, Er braucht die Vermittler. Er hat keine Hände und Füße und keinen Mund, außer unseren Händen und Füßen und unseren, menschlichen und kindischen Mund oder die Engel. Wenn wir beten und fragen und reden, eilen die Heiligen von Vergangenheit zu Gott und zurück und überbringen uns die Wahrheit.

Ich lernte die unterschiedlichsten Wege der Kommunikation Gottes. Eines von ihnen war, auf den eigenen Körper zu achten. Der Hinweis kann sich wie ein Stich in der Brust anfühlen, wie ein Brennen, oder wie ein Hauch von Freiheit in der Herzgegend. Die letzte Empfindung mochte ich am liebsten. Die Luft und die Wärme, die kommt, sind die Antwort. Es kann auch eine Freude sein, die wie von selber auftaucht und schon bei dem Gedanken an eine bestimmte Lösung gibt es eine Antwort von Vater.

Es gibt einen Hinweis: So ist es am besten. Gut ist es, auf die Vorahnungen zu achten. Eine Freude und das Gefühl von Leichtigkeit sind ein sicheres Zeichen, dass der Weg richtig und angemessen ist. Der Körper ist ein Barometer, der immer da ist. Warum sollte man ihn nicht benutzen? Es ist doch so leicht und praktisch! Es geht so: eine Frage stellen, kurz in sich gehen, ein Paar Alternativen im Kopf durchgehen lassen und darauf achten, wann die Freude funkt.

Es gibt noch eine Möglichkeit, wie man spüren kann, was jetzt dran ist. Benenne das Gefühl für dich selbst und formuliere daraus eine Frage. Dann stell dir Gottes Gesicht vor und stelle deine Frage. Wenn Gott lächelt, selbst sehr, sehr leicht, ist die Antwort „Ja", wenn Er gar nichts macht, bedeutet es „Nein". Ich liebte es, mich innerlich vor Gottes Gesicht zu stellen und zu fragen: „Was meinst Du?" und Gott lachte, oder Er machte nichts. Denn dann wusste ich, es heißt: „Nein". Eigentlich kennen wir die Antworten auf unsere Fragen sowieso. Wir suchen nur nach einer Bestätigung.

Ich wendete diese Methode bald überall an, in Beziehungsfragen, ob ich eine Reise antreten soll, etc.

Ich merkte, dass die Menschen mich oft um einen Gefallen bitten. Es kann eine Kleinigkeit sein, die sich als ein großer Aufwand entpuppt, der kaum zu bewältigen ist. Es kann passieren, dass ich den Mitmenschen nichts Gutes täte, wenn ich „Ja" gesagt hätte bei denen, die meine Hilfe wollten. Es wäre hilfreich, relativ schnell zu wissen, ob der gebetene Beistand überhaut gut ist oder nicht. Deshalb sind die Methoden eine Hilfe in gestressten, komplizierten Zeiten, wenn die eigenen Gedanken unklar sind.

Es klappt auch so, wie am Anfang schon angedeutet. Frage Gott, wie es ihm in gegebener Situation geht. „Wie fühlst du dich, Vater, wenn du das siehst?" Es könnte hilfreich sein, sich einen bestimmten Ort der Begegnung auszusuchen. Es muss keine Kirche sein, es reicht auch schon ein Sessel zuhause oder man geht raus in die Natur. Mit der Zeit und ein wenig Übung ist es ausreichend, nur an den Ort zu denken, sich in den Zustand des Friedens hineinzuversetzen und Gott die „Wie-Frage" zu stellen.

Ich habe damit in den schönen Bergen angefangen. Angangs brauchte ich unbedingt eine schöne Umgebung inmitten von Gottes Schöpfung oder eine alte Kirche, wo die Menschen seit Hunderten von Jahren beten. Mit der Zeit überzeugte mich auch der Weg vom Berg herunter, dann das Tal, dann reichte mir der Hinweg ... Später in meinem „Engelszimmer", so nannten meine Kinder meinen gemütlichen, weiß eingerichteten Arbeits- und Gebetsraum im Keller, pflegte ich still zu sitzen und mich in das Gefühl von Gottes Liebe zu begeben. Ich stellte mir immer wieder vor, dass ich in der Umarmung Gottes sei. Erst dann stellte ich meine Fragen und die Antworten waren authentisch, deutlich, liebevoll und weise. Je ernster, präziser die Frage, desto präziser, direkter die Antwort. Ernst war es nicht immer. Manchmal lachte Gott mit mir.

Freue dich auf die Perlen der Liebe und der Weisheit, die Gott über dich streut. Glücklicherweise vermögen sie nur selten, wie ein Donner aus dem Himmel zu klingen, dein Leben umzudrehen und dein Gemüt zu erschüttern. Zum Glück sind sie meistens ganz leise, warten darauf, entdeckt zu werden. Um eine persönliche Perle zu finden, musst du vielleicht ins Meer der Möglichkeiten eintauchen. Vielleicht musst du die Luft anhalten und es wagen ins Wasser zu springen.

Ich habe entdeckt, dass ich fälschlicherweise annahm, dass Gott „im Himmel" ist, da, wo sich die Wolken treffen. Unbewusst hat Gott sich ganz, ganz weit weg angefühlt, bis ich eines Tages merkte, dass Gott immer, immer in meiner Nähe ist. Er umarmt mich, eingekuschelt hört Er mich ganz nahe, wenn ich bete.

Ich malte mir ein Bild, um es zu verdeutlichen. Danach musste ich das Bild nochmal malen, weil es nicht leicht war, so schnell darzustellen, dass Gott mich liebevoll in meinen Armen hält. Er drückt mich immer zu sich, wenn ich mich zu ihm wende. Ich habe eine deutliche Vision gehabt, dass Gott mir zuhört während ich bete. Er hört mich aber gar nicht vom Himmel herab. Er hält mich in seinen Händen. Er kuschelt uns alle, seine geliebten Kinder, an. Er hält sein Ohr an unseres, um uns zu hören und gleichzeitig zu trösten.

Ich hörte so oft auch meinen Kindern zu. Bevor sie mit ihren Geschichten fertig waren oder bevor sie richtig angefangen haben, habe ich sie schon umarmt. Aber Gott ist immer noch besser. Was ich kann, kann Er schon längst 100 mal.

Ich malte ein Bild, wie Gott mich symbolisch umarmt in einer schönen, leicht grünen Wolke und ohne es zu beabsichtigen sah ich in einer der Wolken des fertigen Bildes ein Gesicht. Es war das Gesicht des Mannes, der meistens in dem dunkelgrauen Anzug im sonnigen Wald liebevoll, stark und sanft gleichzeitig predigte, dessen Bild schon seit Kindheit immer wieder zu mir in Tagträumen kehrte.

Kapitel 7

Ein bisschen Mehl, 100 Gramm Zucker ...
Ein simples Rezept für ein Gebet

Eine Reise ist ein Trunk aus der Quelle des Lebens.
Friedrich Hebbel

Ich wurde mal gefragt: „Was ist aber mit den Menschen, die noch nie gebetet haben?" Oder. „Ich habe versucht zu beten, aber ich habe noch nie etwas dabei gehört". Ich habe es so gut ich konnte beantwortet, aber dann spürte ich, dass es eine bessere Antwort gibt, als die Menschen nur zu bejahen und zu ermutigen.

Ein Tag und zweitausend Kilometer später hörte ich eine bessere Antwort in englisch. Die Frage wurde mir auch vor einem Tag auf englisch gestellt.

Die 4 Schritte der Übersetzung:
1. Find a quiet place. Finde einen ruhigen Ort.
2. Be quiet. Beruhige Dich.
3. Say something very honest to God. Sag etwas sehr Ehrliches zu Gott.
4. Be quiet again. Sei wieder still.

Zu den Sprachen: Es gibt Zauber-Wörter, die nur in einer Sprache am stärksten wirken. Das ist auf deutsch: „Göttliche Ordnung". Es hilft, wenn eine Lösung schon unterwegs ist, sobald man „Göttliche Ordnung" im Geiste mehrere Male ausspricht. Das ist auf jeden Fall eine bessere Beschäftigung, als traurig zu sein und sich geschlagen zu geben.

Auf ukrainisch wäre es: „Hospody" (beim Einatmen) und „Pomyluj" (beim Ausatmen). Das kann stundenlang so gehen. Die Resultate werden dich richtig in Erstaunen versetzen. Die

Bedeutung ist: „Mein Herr, erbarme mich", aber auch: „Mein Herr, liebe mich".

Zu dem dritten Punkt: Es kann zum Beispiel so etwas sein, wie: „Gott, ich habe dich noch nie antworten gehört. Ich weiß gar nicht, wie das geht, aber ich würde mich sehr darüber freuen. Ich halte eigentlich nicht viel von diesen seltsam betenden Menschen. Ich halte mich selber nicht für gläubig und ich habe keine Ahnung, wie das geht. Jetzt würde ich mich aber dennoch freuen, wenn ich dich hören könnte".

Ich wusste um ein Prinzip, das die Gebetsanliegen so konkret und präzise darstellt, wie nur möglich. Ich folgte dem Gedanken und schrieb meine Wünsche auf. Wie es sich gehörte, versteckte ich den Zettel nicht, sondern zeigte ihn dem Engel (indem er offen da lag) und ich betete, wie ich es mir vorgenommen habe, 40 Tage um deren Erfüllung.

Ich schrieb auf: „Gott, bitte gib mir im Frühling ein Kind". Ich meinte, ich wollte im Frühling schwanger werden. Ich bekam ein Kind, nur etwas früher als gedacht. Ich hatte im Frühling schon ein Kind und nicht erst neun Monate später. Es wunderte mich zuerst. Ich habe doch so genau gebetet. Ich betete wieder und fragte, warum mein Gebet anders in Erfüllung kam, als ich dachte. Dann fiel mir ein, ich sollte meinen Wunsch nochmal durchlesen. Da stand, dass ich im Frühling ein Kind wollte. Und ich bekam es auch im Frühling. Vielleicht war es ein Streich. Ich nahm mir vor, besser aufzupassen, was ich mir wünsche, um solche Überraschungen zu vermeiden.

Mein Frühlingskind macht mich stolz und glücklich. Ich weinte vor Freude, als mein Sohn nach der Geburt an meiner Brust lag, er griff nach meinem Finger, sah mich an und er kuschelte sich ein, obwohl er in diesem Frühling erst gute zwei Minuten alt war.

Solche Gebete sollte man sich doch gut überlegen. Ich sage zur Sicherheit zum Schluss: „Dein Wille geschehe…" Nur für alle Fälle. Außerdem genau beten, klar die Wünsche formulieren.

Sage deine Wünsche ehrlich und offen. Erkläre am besten deine Gründe dazu so gut du kannst. Sobald du deine Motivation aussprichst, wirst du bereits in diesem Moment meistens fühlen, ob dein Gebet in Erfüllung geht oder nicht. Sei einfach ehrlich mit Gott. Dann halte die Stille in dir. Lerne es, zuzuhören. Wenn du dir Gottes Antwort sehnlich wünschst, dann gib ihm einen Raum und Zeit dafür, renne nicht gleich nach dem Gebet weg.

Wenn wir doch nur immer wüssten, dass eigentlich alles so einfach wäre. Die Menschen träumen von der Schönheit, Macht und Reichtum. Das kriegt man relativ einfach durch das Gebet. Das Gebet leuchtet die Gesichter mit der Schönheit auf, es macht uns unwiderstehlich. Durch diese Art der Kommunikation mit Gott fließt die Ruhe nicht nur ins Leben hinein, sondern auch in uns selber, direkt in die Seele. Was für eine großartige, unzerstörbare Macht ist das dann? Die Macht der inneren Ruhe, die automatisch und in liebevoller, sicherer Weise mit den üblichen Spielchen und Manipulationen nichts zu tun hat und uns natürliche Autorität verleiht. Es mag anfangs sehr kindisch klingen. Nicht mehr, wenn man bedenkt, was für herausragende Persönlichkeiten in der Geschichte gebetet und deren Lauf geändert haben, Armeen, Massen angeführt haben.

Eines gibt es noch, das ich erst nach Jahren über das Gebet lernte und das ich unbedingt mitteilen wollte. Es ist schön und gut zu beten, nach allen Regeln der Kunst, mit dem notwendigen Anhang „dein Wille, nicht meiner". Ich lernte aber, dass es am besten ist zu beten, um zu handeln. Beten, handeln, beten, handeln, wieder beten und wieder schnell handeln, schnell in die Tat umsetzen. Manchmal schon unterwegs Gott schnell berichten, was wir vorhaben und dann mit dem Glauben an Erfolg wieder vollbringen, was wir zu erfühlen beabsichtigt haben. Es ändert ziemlich alles.

Kapitel 5

Ist es überhaupt möglich, dass Gott uns hört?!

Wie leer ist die Welt für den, der sie einsam durchwandert!
Gustave Flaubert

Während ich betete, wurde es mir einmal klar. Es ist so klar, dass Gott ganz sicher nicht in dem Himmel ist, den wir uns automatisch vorstellen, nicht in diesem Blauen. Er hört unseren Gebeten sehr aufmerksam zu, während Er uns in seinen Armen hält. So liebevoll kuschelt Er uns wörtlich ein, drückt sein Ohr an unsere, um dann den Gedanken flüstern zu hören.

Einmal hatte ich die Vision von einem zuhörenden Gott, der sich nicht im Himmel langweilt, sondern bevorzugt zu mir kommt, um mich zu lieben. Die Vision malte ich. Es sah aus wie der Wind oder eine grüne Wolke, die mich mit der Liebe und der Geborgenheit umwickelte. Aus der Wolke schaute ein Gesicht zu mir. Das Gesicht des Mannes mit den asiatischen Zügen. Der wesentliche Teil der schnell und geistig gemalten Vision ist jetzt auf dem Cover dieses Buches dargestellt.

Es stellt sich die Frage, ob es überhaupt möglich ist, dass Gott uns hört?! Dass Er uns antwortet. Die Zweifel habe ich oft genug gehört. Es gibt empörte Vorwürfe darüber, dass ein vollkommener Gott uns Würmer nicht erreicht und dass wir Würmer ihn schon gar nicht verstehen würden, so weit ist er von uns Würmern entfernt. Ich bin satt, mir solche sinnlosen Vorwürfe anzuhören. Natürlich hört uns Gott zu und Er hört uns an.

Das Problem ist, dass viele Menschen gar nicht an die Möglichkeit mit Gott zu kommunizieren glauben, manche ziehen gar nicht in Betracht, ihn etwas zu fragen. (Und manche beten gar nicht, manche, die nicht an seine Existenz glauben, im Ernst sie entscheiden sich zu glauben die Waisenkinder im kalten Kosmos zu sein).

Sie halten sich an den Gedanken fest: „Wer bin ich schon, dass Gott mit mir reden würde." Und: „Wie würde ich unterscheiden können, ob es nicht nur meine Gedanken sind, die ich wahrnehme?" Mit einer solchen Haltung ist tatsächlich kaum Kommunikation denkbar.

Wenn wir die anderen Menschen, sei es intuitiv, durch Spiegelneuronen oder anders, nonverbal verstehen können, warum sollten wir Gott nicht verstehen? Es ist sogar leichter, als sich selbst zu verstehen.

Stelle dir doch die Fragen: „Wer bin ich? Vielleicht ein Kind Gottes? Sind unsere nahsten Verwandten die Affen? Meine ganz sicher nicht. Wenn ich an Oma und Opa und deren Eltern zurückdenke, weiter zurück bis Adam und Eva, wer waren ihre Mutter und ihr Vater? Sie stammen direkt von Gott und genauso kommen wir direkt von Gott durch unseren Ahnen, die bis zum ersten Menschen reichen. Irgendwann einmal sind Menschen auf der Erde erschienen. deren Vater und Mutter Gott war und sie bildeten den Anfang für mich.

Ich stamme von Gott ab und nicht in irgendeiner mystisch-symbolischen Weise, sondern direkt und tatsächlich-substanziell. Wir stammen sicher nicht von einem Affen ab. Ich bin überzeugte Kreationistin, schon alleine aus dem Grund, dass ich mich für etwas Besseres als einen Verwandten der Affen halte. Ich habe einen göttlichen Ursprung.

Wäre das nicht Grund genug für Gott, um mit mir zu sprechen?! Warum soll ich nicht wissen, was mein Vater und meine Mutter sagen? Warum soll der weise Gott mir nicht so antworten wollen, dass ich es auch als Antwort verstehe? Wie überleben überhaupt die Menschen, ohne Gott zu fragen? Kommunikation mit Gott ist alles! Ich wusste nicht, wie man das Leben aushalten kann, ohne mit Gott zu reden und leben kann ein Mensch ohne Kommunikation mit Gott schon gar nicht, wir können gar nicht richtig voll und ganz leben.

Ich will mich gewiss nicht immer, vorzugsweise gar nicht, darauf verlassen, dass mir immer jemand sagt, wo es lang geht. Ich wüsste keinen Grund, warum es jemand anderes besser wissen sollte als Gott. Gott alleine kann und soll unsere inneren Fragen beantworten.

Jesus hat eine witzige Bezeichnung dafür gehabt. Er hat uns auch versichert, dass wenn ein Kind um einen Fisch bittet, er keinen Skorpion bekommt. Wer fragt, bekommt auch eine würdige Antwort. Wer sucht, der findet. Wer geliebt wird, der wird auch Liebe empfinden. Jetzt ist die gute, reife Zeit gekommen, um es genau und sicher zu wissen. Die Menschheit hat genug Zeit für die Suche verschwendet. Sonst nenne mir den Zeitpunkt, um das Leben mit Gott anzufangen und sage, warum erst dann. Jetzt ist es so weit!

Es ist doch so bequem, nicht zu wissen und nicht zu fragen. Denn ohne zu wissen, muss man keine Verantwortung für das eigene Leben übernehmen und ohne Fragen und Antworten kann man Zeit mit anlehnen, beschweren und in Opferhaltung verweilen verbringen.

Ohne eine persönliche Beziehung zu Gott zu entwickeln, führt man ein ausgesprochen gemütliches Leben in jeder Kirche. Was gesagt wird, das wird geglaubt. Ohne Wenn und Aber. Die anderen wissen schon, warum sie was sagen. Das verbirgt sich oft hinter der Haltung: „Ich weiß es einfach nicht, aber mit Gott reden geht doch gar nicht". Ich muss mich auf diejenigen verlassen, die besser sind als Ich. Das ist die ungefähre Pseudo-Logik.

Das sind bequeme Konsequenzen. Gemütlich ist es „nicht zu können" und am besten überhaupt „nicht glauben zu können". Und bequem ist es vor allem. Mit so einer Haltung gibt es auch keine Konfrontation mit „Andersgläubigen". Einfach hinlegen und entspannen und die Akzeptanz in den eigenen Reihen genießen. Und: Sehr viel Annahme von den Menschen, die aus irgendeinem Grund, als ob sie mehr als du selbst Gottes Kinder wären, glauben, mehr Ahnung zu haben als ich. Mehr als ich wusste, lebte, für das Leben tun konnte. Es ist meins, meine Beziehung mit Gott, mein Verständnis, meine Liebe. Ich sollte selbst meine Antworten kennen. Ich bin der Experte meines eigenen Glaubens. Es ist mein Gott, den ich frage und dem ich folge. Es geht um meine eigene Beziehung mit meinen himmlischen Eltern. Lasse dir nicht viel hineinreden. Geh direkt zum Chef mit deinem Leben. Zum sehr himmlischen Chef und Befehlshaber und Ratgeber. Ein Austausch mit anderen Menschen ist immer gut und schön. Eine Dominanz und „ich weiß es besser als du" Haltung ist im 21. Jahrhundert nicht mehr gerechtfertigt.

Oder anders noch: „Lasst uns uns doch auf der Suche verlieren!" Das ist erst recht eine Schnapsidee. Die Jahre vergehen und sie suchen immer noch. Wer ewig auf dieselbe Frage noch keine Antwort gefunden hat, der muss auch nicht im Einklang mit seinem Gewissen leben. „Ich weiß es einfach nicht". Alles klar. Ach, na dann! Wer würde sich schon wagen, irgendwas dagegen zu haben? Keine Kritik, keine Erwartung, ich suche doch schon!

Mit ein bisschen Geschick wird man fündig mit dieser „ich suche doch" Haltung oder noch besser mit einer „ich bin verloren/negativ/verzweifelt" Haltung. Fündig nach einem Retter, der auch 24 Stunden am Tag für mich parat ist. Die negativen, verlorenen Menschen werden von einem guten Retter (unter der Voraussetzung, dass man ihn sucht und findet) betreut und auf Händen getragen. Sie werden so lange betreut und getragen, dass jegliche Änderung nicht sehr attraktiv wird. Außerdem wäre es für den Retter auch eine Tragödie, das schöne Gefühl gebraucht zu werden und erhaben zu sein zu verlieren. So einfach ist das Ganze nicht. In vielen Fällen, sehr vielen Fällen, gibt es dieses eine Sahnehäubchen darauf. Vielleicht wird sich jemand finden, der mich retten will, helfen, gewinnen will und mich immer betreuen, damit ich mich wiederfinde, Gott finde, irgendwas finde oder einfach aufhöre zu suchen.

So viel Liebe und Aufmerksamkeit für das Nichtstun. Eigentlich haben alle etwas davon: Der Suchende: Die Liebe endet nie (ohne Verantwortung, ohne Mühe, mit sehr viel Ausreden und hin und wieder ganz echter Traurigkeit). Der Retter: Er oder sie hat das Gefühl, irgendwas Gutes zu tun, irgendwas zu tun, nämlich zu retten. Er oder sie gewinnt vielleicht die verlorene Selbstachtung oder sogar das Gefühl, ein besserer Mensch zu sein, ein vielleicht Besserer als der Suchende, den man gerade rettet. Oder immer wieder rettet, wenn er oder sie auf den Geschmack kommt, gerettet zu werden.

So helfen alle zusammen, jeder hat seine Gunst und seinen Gewinn. (Letztendlich wird oft zwischen dem Retter und dem

Geretteten geheiratet und es wird wieder sich geschieden, weil es viel besser auf die Entfernung funktioniert).

Ob du das wissen willst oder nicht, wir Christen verlieren uns auf der Suche. Von Buddhisten sollten wir uns viel abschauen. Nicht nach der Wahrheit zu suchen, sondern die Wahrheit zu sein.

Ich habe zwei Kinder. Ihre Fragen nehme ich sehr ernst. Je nach Tagesablauf beantworte ich ihre Fragen so schnell ich kann. Es ist nichts Außergewöhnliches. Du beantwortest auch deinen Kindern ihre Fragen.

Gott ist weit besser als die Mutter in mir. Wenn ich meinen Kindern antworte, antwortet Gott noch selbstsicherer! Und vor allem richtig. Auf ihn ist Verlass! Frage Tag und Nacht. Frage andauernd, rede mit Gott, übernimm die Verantwortung, fühle, fühle die Liebe und die Sorge. Genieße die lebendige Beziehung zu Gott. Lebe, lebe endlich richtig.

Dazu eine Tulpen-Geschichte. Diese Art von Antworten meine ich. Die vergisst man nicht. Die erkennt man leicht.

Frag doch Gott.

Kapitel 9

Eine Tulpe im Schnee

Eines Tages malte ich ziemlich sinnlos, zwecklos und vollkommen planlos ein Bild. Nichts Besonderes, einfach irgendwas. Ich weiß nicht mehr, warum ich an dem Abend überhaupt malte. Es könnte sein, dass ich wollte, dass meine Tochter mit malt, damit sie sieht, dass man einfach vor sich hin malen kann. Es hätte damals auch sein können, dass mir sehr langweilig war oder dass ich Aquarellfarben ausprobieren wollte.

Eine Tulpe ist entstanden. Sie ist leider gar nicht schön geworden. Darunter gab es dann eine Wolke. Eine Tulpe auf einer Wolke. Wie gesagt, nicht mal schön war es und relativ planlos. Und doch handelte es sich um eine Vorahnung. Es war nicht unwichtig. Eine Tulpe bescherte mir kurz darauf eine besondere Begegnung.

Etwas später, es handelte sich höchstens um ein paar Tage, besuchte ich ein Seminar. Es hat auf einem Berg stattgefunden. Draußen wütete ein Schneesturm. Tag und Nacht unterschieden sich kaum. Es war einfach nur kalt, windig, dunkel, der graue Himmel hing tief, fast zum Greifen nah. Es war dem Berg egal, dass 20 Minuten Autofahrt ins Tal weiter die Vögeln über den schönen Blümchen zwitscherten.

Ich ging trotzdem tapfer hinaus. Stundenlang in einem Raum sitzen ist nicht meine Sache, außer ich schreibe ein Buch. Ich wollte auch beten. Da gab es eine schöne, große, alte, sicherlich leere Kirche. Genau wie ich es mag.

Draußen war es wie gesagt kalt, dunkel und verschneit. Der Wind hat sich mit dem Schnee verbunden, um die Spaziergänger schnell wieder zurück durch die Haustür zu drängen. Sie schonten nicht einmal das Gesicht, wenn es nötig war. Ganz besonders haben sie es auf die Füße abgesehen. Es wurde genug

Schnee angeweht, um ein ganzes Bataillon Besucher in Gebäuden eizusperren.

Ich stürmte trotz allen Widrigkeiten direkt in das Unwetter hinaus um eine ernste Frage an Gott zu stellen.

Ich fragte Gott Folgendes:

Gott, ich habe ein unglückliches Leben gehabt. Es ist so viel passiert. Ich kann es nicht wegtherapieren. Ich kann es selber kaum ertragen. Kann ich überhaupt noch ein normaler Mensch sein mit dem, was mir zugestoßen war? Mit meinen Erinnerungen? Mit allem, was mich bis jetzt geprägt, geplagt hat und immer noch plagt? Kann ich überhaupt mit Menschen arbeiten? In meinem Beruf? Wozu mache ich die vielen psychologischen und theologischen Seminare?

Wahrscheinlich weinte ich.

Gott antwortete. Er gab die Antwort nicht nur als ein leises Gefühl oder einen überraschenden Gedanken. Gott sprach laut und deutlich und seine Antwort hat unmöglich in meinem Kopf zwischen meinen verzweifelten Gedanken entstehen können. Er sprach auf Deutsch. Er sagte: „Du bist nicht das Kind der Umstände. Du bist mein Kind."

Ich stand auf einem Berg und hörte die Stimme Gottes bevor ich die Kirche erreichte. Vielleicht ein paar Schritte davor. Ich weiß nicht so genau, es war kaum was zu sehen. Es herrschte ein Schneesturm, der dem Frühling da unten trotzte.

Ich sah plötzlich eine Tulpe. Eine scharlachrote, gesunde, unbefleckte lebendige, tapfere Tulpe, blühend, von weißem, kaltem Schnee umgeben in der Mitte des wütenden Schneesturms. Mit einem Blatt. Natürlich sehr lebendigen, schönen, grünen, ohne kleinste gelbe Verfärbung, ein junges Tulpenblatt und eine rote Tulpenblume auf einem starken, grünen Blumenstiel.

Ich habe es begriffen. Wenn Gott so will, wird trotz kaltem, weißem Schnee, inmitten des wütenden Sturms, eine scharlachrote, gesunde, mit explodierendem Leben gedeihende Tulpe wachsen. Die Überzeugungen, dass wir von Umständen geformt und prädestiniert sind, dumm sind und kommunistisch. Genauso habe ich mir sofort gedacht, das wäre kommunistisch. Nur in gottlosen, falschen Theorien spricht man von dem allbestimmenden Umwelteinfluss. Wir sind nicht die Kinder der Umstände. Wir sind Gottes Kinder. Wir alle. Wenn Gott so will, werden wir zu dem geformt, was er für uns gedacht hat und nichts kann uns etwas anhaben.

Zwei Wochen später war ich wieder auf dem Berg. Demselben. Ich rannte zu der Tulpe. Sie war noch da, in strahlender Sonne verblühte ihre Majestät gerade. Verwelkt, zog sie sich in die Erde zurück. In meiner Seele lebt sie ewig, zusammen mit Gottes Worten.

Es ist gar nicht so schlecht, manchmal mit Gott zu reden.

Ein anderes mal sagte Gott einen ganzen Satz, als ich auf meiner Terrasse saß und den duftenden, ersten, warmen Frühlingsregen genoss. Ich habe erfahren, dass jemand, der Gott dient, wie er kann, leidet, weil er keine Früchte seiner Arbeit für Gott sah. Ich redete gerade am Telefon. Trotz seiner Mühe trauerte ich mit. Ich fragte Gott, warum es so ist und wie es mit uns weiter gehen soll. Es berührte mich sehr, dass manche Menschen sich so anstrengen, jedoch nichts zurückkommt, was die Mühe aus ihrer Sicht rechtfertigen könnte. Sie sehen keine Früchte, sie spüren keine Freude.

Gott ist in dem warmen, duftenden Regen gekommen. Er sagte: „Sorge dich nicht. Bald kommen die Zeiten, in denen die guten Menschen nicht mehr leiden müssen."

So einfache Wörter deutlich gesagt, die einfach ins Herz gingen und die Stimmung hoben. An dem Tag sagte ich das fast jedem, und fast jeder hörte es mit Tränen. So ein einfacher Satz. Wenn er es bis zum Herzen schafft, berührt er die Seele und haucht Hoffnung hinein.

Manchmal fühlt sich Gottes Antwort wie ein leises Gefühl oder eine unklare Vorahnung an. Dieses Mal jedoch nicht. Es war ein deutlicher Satz in deutscher Sprache. Die Stimme war kraftvoll, aber nicht laut. Sie war sehr liebevoll und dieses mal männlich. Das letzte mal auf dem Schneeberg war sie weiblich. Es hat sich wie etwas Ewiges, immer schon Existierendes angefühlt. Es brauchte keine Erklärung, die Argumente waren überflüssig. Die Worte waren bedeutsamer als Donner. Alpha und Omega. Ich habe sie gerne ins Herz fließen lassen. Sie sind als warme Tränen wieder herausgeflossen.

So fühlt sich Gottes Antwort an. Die Trauer mischt sich mit der Freude, wandelt sich um und nimmt nie, nie die Energie weg. Man fühlt sich nie kraftlos, wenn es von Gott kommt. Man fühlt sich fröhlich oder traurig, aber nie, nie kraftlos im Nachhinein. Das ist auch ein bedeutsamer Hinweis, wie die Antwort Gottes zu erkennen ist.

Kapitel 10

Der Wind, der Kuss des Gottes

Das millionste Mal habe ich angefangen, die Bibel erneut zu lesen. Gleich am Anfang, in Genesis, ist beschrieben, wie Adam und Eva durch den Garten gehen und Gott sprechen hören. Sie hörten Gott leicht seufzen. Ich bin fast neidisch geworden. Aha, sie, die gefallen sind, haben Gott in leichtem Seufzen gehört. Gott, Ruah, Der Atem, Die Kehle. Er kommt mit dem Wind. Dieser Gedanke hat sich wie ein Stich oder Brennen in der Brust angefühlt. Ich wollte sofort, dass Gott mit dem Wind auch zu mir kommt. So fragte ich Gott kurz, ob es heute schon möglich wäre. Sehr schnell habe ich das Gebet auch wieder vergessen.

Der Tag hat seinen Lauf genommen und ich fuhr fort. Es war ein sonniger, heißer Tag. In der Pause der Fortbildung beschloss ich, die vielen Blumen in der strahlenden Sonne zu betrachten. Ich ging hinaus, die Seele baumeln lassen. Erst die Wiesenblumen haben mich alles vergessen lassen. Ich spazierte auf einem hohen Hang, wo die katholischen Nonnen einen schönen Garten angelegt hatten. Eine von ihnen wollte mich auf dem Spaziergang durch die Schönheit begleiten. Es musste schon viel davor geblüht haben, weil die Unmengen von Blumen unmöglich an einem Tag aufblühen könnten. Jetzt sollte es schon der Gärtner übernehmen.

Ich konnte mich nicht losreißen den Garten zu verlassen, ich genoss es hier unendlich. Da der Weg steil war, suchten wir eine Bank, um uns auszuruhen und bald wurden wir fündig. Ich durfte meinen Kopf auf den Schoß der weiß gekleideten Schwester legen und überrascht den Himmel betrachten.

Eines hat mich überrascht und gar nicht zum sonnigen, heißen Tag gepasst. Kaum habe ich eine Bank gefunden, hat mich ein starker Wind, ein Sturm gefunden. Meine Oma würde sagen:

„Ich dachte, es reißt ma den Kopf oba". Woher der Wind an einem sonnigen, warmen Tag? Ein Fehler in der Matrix? Es war kein Fehler in keiner Matrix. Gott hat mir einen Wind geschickt, Er ist selber mit dem Wind gekommen, wie ich es so sehr wollte. Deshalb der Wind an diesem sonnigen, warmen Tag. Ich erinnerte mich wieder an mein Gebet.

Ich liebte die Idee. Ich wollte mehr. Ich wollte, dass Gott immer zu mir kommt und Er ist immer gekommen. Es musste nächstes Mal auch nicht so stark sein, dachte ich und es ist so gekommen. Ich fragte Gott, ob ich ein ganz kleines Windküsschen von ihm zugeflogen haben könnte und er kam in einem leichten Seufzen, um mich an den Wangen zu streicheln.

In jeder Pause rannte ich auf die Terrasse und kaum habe ich mich am Geländer angelehnt, als Gott mich rechts und links leicht an den beiden Backen küsste. Die zärtlichen Begrüßungen genoss ich sehr. Sie würden mir zum Trost, zur Zuflucht, zum allpräsenten Liebesbeweis Gottes verhelfen, den ich nie anzweifeln würde. Es war das zärtliche Grüßen des Geistes Gottes.

Wir sind Gott wichtig. In jedem Augenblick ist Er bereit, es uns zu beweisen. Egal, wie still die Luft in heißen Sommertagen gestanden ist. Die leichten Küsse des Windes streichelten immer mein Gesicht zu Begrüßung. Gott, Ruah, Atem, kommt mit dem Wind, Er geht durch seinen Garten mit leichtem Seufzen. Er kommt, weil Er uns alle liebt. Er kommt, um uns zu lieben. Mit unserer Heiligkeit hat es überhaupt nichts zu tun. Denn Gott weiß, dass, je mehr Probleme sein Kind hat, je mehr es sich durch die meist eigenen Fehler verletzt hat, desto mehr Liebe und Hilfe braucht es und nicht umgekehrt. Die Liebe Gottes ist viel mehr als eine Belohnung. Gott ist eben anders als unsere Furcht es uns einflüstert. Die himmlischen Eltern lieben uns, wenn wir uns freuen und wenn wir trauern. Beides eben.

Kapitel II

Ein Grashalm

Ich bin wiedermal gefahren, um nach Gott zu suchen. Ich fuhr nach T. in der Hoffnung Gott zu erfahren in einem Camp im Middle of nowhere. Anders gesagt: Es war auch in der Mitte von Feldern und Wäldern. Ein großer Teich war auch da. Alles war märchenhaft schön, warm, Natur pur in einer abgeschiedenen Gegend.

Ganz unbeschwert sind die Tage vergangen. Der Höhepunkt aber ließ drei bis vier Tage auf sich warten.

Ich hörte eine Erzählung eines Mannes auf englisch, der fast gar nicht englisch sprechen konnte. Die Sätze waren sehr einfach gebaut, die Gedanken unkompliziert formuliert. Das ist der Vorteil, wenn man die Sprache nur wenig spricht. Zudem war der Vortragende ziemlich klein, älter und unscheinbar. Ich lehnte mich einfach an und genoss den Vortrag.

Er sagte, dass Gott über uns nachdachte, als Er den Grashalm erschaffen hat. Er tut alles wegen der Liebe. So einfach ist das. Alles ist aus der Liebe erschaffen und zwar für uns. Das klingt noch bekannt, fast trivial, doch plötzlich sagte der alte, kleine Mann, der die Sprache, in der uns über Gott berichten wollte, gar nicht beherrscht hat: „Für dich hat Gott den Halm, den du siehst, wenn du heraus gehst, erschaffen. Kannst du es ernst nehmen und spüren? Fühlst du das auch so, wenn du Gottes Schöpfung siehst?" Das traf mich mitten ins Herz.

Nach mehr als 20 Jahren weiß ich es noch genau, wie ich heraus zum Teich in die warme Sommernacht ging. Ich setzte mich still an den Teich und ich konnte nicht mehr weg. Von überall floss Gott auf mich zu. Er atmete mit dem Nebel aus der freundlichen, beruhigenden Dunkelheit heraus. Er hat aus dem dunklen Wasser direkt zu mir gerufen. Die Erde atmete

Gottes Atem aus. Mit dem Atem lebte alles und schrie: „Ich liebe dich mein Kind".

Ich drehte mich vom schreienden Nacht-Wasser zu den ruhenden Wiesen und ich hörte Gott wieder: „Ich liebe dich mein Kind". Dass Gott verliebt war, wusste ich, weil er nicht ruhig mit mir sprechen konnte. Er schrie immer wieder ganz enthusiastisch „Ich liebe dich, ich liebe dich". Ich fand einen Grashalm und er schrie in meiner Hand „Ich liebe dich mein Kind". Es war die Liebe, die so klein ist, dass sie in einem Grashalm passt und so groß, dass sie ein Universum ausfüllt.

Die Liebe umarmte mich und sie ließ mich ruhen. Das Leben bebte und schrie von überall, sogar die Steine trugen die ewige Wärme aus sich heraus. Es fühlte sich so neu und ewig an. Das erste Mal wurde die Luft mit der Liebe so erfüllt, wie im gleichen Moment, mit etwas ewig Dagewesenem. Alpha und Omega. Ich könnte für immer in Gottes Armen geschaukelt bleiben, da es mich mit Frieden erfüllt. So sicher, getragen, geliebt saß ich und atmete Gott am Ufer des großen Teiches ein. Die Dunkelheit drohte niemandem. Es war eher ein Zeichen dafür, dass Gottes Liebe noch mehr ist, als ich sehen kann, mehr, als die Dunkelheit verbirgt. Sogar die Nacht selber wollte mich sprechen. Sie wollte mir überbringen, dass Gott mich liebt.

Die Liebe floss sanft und kraftvoll durch mich. Ich war unendlich geliebt. Ich ruhte im ewigen Eltern-Nest, der Natur. Dieses Bewusstsein, die Sicherheit, dass alles um mich Gott für mich erschaffen hat, war mehr als Weihnachten. Endlose Freude legte sich umher. Jeder Grashalm machte mich unbeschreiblich glücklich. Alles war für mich von meinem Gott erschaffen worden.

Die Einheit mit Gott, mit dem Leben und der ganzen Schöpfung war vollkommen. Gott, die Liebe, die Natur, Menschen, wie ein Weltatem sind wir alle eins. Ich fühlte das mit allen Sinnen. Ich wendete mich dem Nebel zu und der warme, herzliche, mystische Nebel hat mir zugerufen: „Ich liebe dich mein Kind". Die Liebe war schon immer da, seit Anfang an und sie wird immer da sein. Sie ist überall anwesend, sie durchdringt und erfüllt alle Wesen und die ganze Materie. Es ist für alle genug da. Jeder Mensch der Erde kann für sich schöpfen und mit höchster Intensität satt werden, mit solchen Dingen, die nähren und die satt machen.

Der schwarze Teich schien tief zu sein, tief, wie die Liebe, die mir spürbar zuruft: „Ich liebe dich mein Kind". Gleichzeitig kam die geistige Wärme über mich, sodass ich wie das Glück selbst war, selig, friedvoll, mutig, versöhnt mit der Vergangenheit und der Zukunft in der sanften, süßen Harmonie.

Die Stimmen der Natur waren für mich wie die bezauberndste Musik. Ich glaubte, ich hörte die schönsten Arien. Die Nacht war da, um Gott zu atmen. Sie hat da schon immer gewartet, um geatmet zu werden. Der kleinste Teil der Nacht war da, um mich zu lieben, uns alle.

Gott sagt doch ständig und zu jedem, „Ich liebe dich mein Kind". Armer Gott. Wie muss es ihm wohl gehen, wenn er das sagt und wir es nicht hören? Es muss ihm schrecklich, unendlich weh tun. Ich hörte es in dem Moment. Was ist, wenn Er uns ständig so zuruft und wir es nicht hören können?

Ich glaube, das Entscheidende für diese Erfahrung war, die Schöpfung persönlich zu nehmen. Es mag ganz untypisch, sogar egoistisch für christlich-gläubige Ohren klingen: „Gott hat den Grashalm für dich erschaffen". Ich habe mal einen Versuch unternommen, es einer Nonne zu erklären:

– Weißt du, ich hatte einmal die Erfahrung, dass Gott alles, sogar den Grashalm, für mich erschaffen hat.
– Aber auch für die anderen.
– Natürlich für die anderen und für mich.
– Ja, für dich und für die anderen. Sonst ist es egoistisch.
– Darum geht es nicht, ich will dir erklären, wie schön es sich anfühlt, wenn man es so persönlich nimmt.
– Gott hat für die anderen alles erschaffen und für dich.
– Hör mir doch zu. Gottes Liebe muss man persönlich erfahren, sonst bleibt sie zu abstrakt, zu intellektuell. Es war so berührend für mich, dass Gott einen Grashalm für mich, mich erschaffen hat.
– Ja, aber du musst wissen und aufpassen, dass Gott das alles auch für die anderen schuf

Andauernd erwiderte sie ein und dasselbe. Sie schien in Dauerbegleitung der Angst zu sein, dass ich egoistisch wäre oder bin und dass ich eine richtige Erklärung dazu nötig habe. Mit der Befürchtung kommt der unbeherrschbare Drang, mich zu erziehen, obwohl ich nicht einmal ein Kind bin. Die arme Nonne war voller Sorgen. Am besten ist es, erst gar nicht damit anzufangen, die Menschen zu erziehen. Ich fürchte mich davor, dass ich so ähnlich werde. Davor habe ich mehr Angst, als ganz „egoistisch" die Liebe Gottes persönlich für sich zu spüren.

Andererseits: „Es ist für uns alle" klingt fast wie: „Es ist für die anderen". Wahrscheinlich sind wir so gestrickt, dass wenn wir „für alle", „Gott" hören, ist „ich" nicht dabei oder nicht sehr intensiv. Die angelernte Demut zahlt sich da gar nicht aus, hindert uns sogar in unserer Beziehung zu Gott, weil Er nur persönlich sein kann und nicht anders. Die Demut, wenn wir es so wollen, können wir den ganzen langen Tag in vielen anderen verschiedensten Arten noch ausleben.

Wichtig sind auch die Körperempfindungen. Satt zu sein, ruhig, schmerzfrei, ausgeschlafen, in Wärme, hilft dem ungeübten Geist. Die erfüllten Bedürfnisse setzen ihn frei. Die Komponenten oder die Bedingungen sind wie „Anfängerhilfe".

Es ist wohl möglich, dass die Tatsache, dass es in einer Ferienanlage war, unter vielen jungen, schönen Menschen, die für mich wohlbesonnen waren, zu dem Gefühl der Sicherheit und der Geborgenheit beigetragen hat.

Für den Anfang von transzendentalen Erfahrungen in solcher Intensität kann es gut hilfreich sein, solch eine behütende Umgebung zu finden. Bewusst habe ich es damals nicht so wahrgenommen. Aus jetziger Perspektive überlege ich, was für den Leser hilfreich sein könnte, den Zustand von bedingungsloser Liebe, Annahme, Geborgenheit zu erleben.

Um noch ausführlicher zu eruieren, was zu derartigen Erfahrungen mit Gott beiträgt, muss ich feststellen, dass es damals einige Elemente gab, die wie ein Fundament als Nährboden gedient haben. Ob es eine Bedingung für derartig schöne Erfahrung war, wusste ich nicht. Jedoch reflektierte ich mit kühlem Kopf über das Erlebte und suchte nach den Ursachen. Es musste irgendwas dazu beigetragen haben, dass es für mich überhaupt möglich war, Gottes Liebe so nah zu spüren, die Schöpfung so zu empfinden, mit dem Heiligen Geist zu atmen.

Und zwar: Sehnsucht nach Gott haben. Suchen. Sich Zeit nehmen. Daran glauben. Dann auch wegfahren. Weg von der jetzigen Realität, weg von den täglichen Sorgen, weg von gewohnter Umgebung und gewohnten Gedanken. Hilfreich ist, sich von den Erfahrungen der anderen, ihren Zeugnissen und Geschichten inspirieren zu lassen.

Alles hinter sich lassen: Alltagssorgen, existenzielle Ängste, die alten Geschichten, Groll, Ressentiments (die können wir wieder abholen, wenn wir es unbedingt wollen). Das Herz und die Seele beruhigen. Gott für alles zu danken. Nach allem suchen, wofür man sich bedanken kann. Ihn lieben. Die Schönheit um sich wahrnehmen. Einen Ort finden, wo wir ungestört nachdenken können. Vorzugsweise in der Natur. Auf die Körper achten, sich selbst gut versorgen. Es soll uns warm sein, satt sollen wir sein, nicht übermüdet, dafür wach und zufrieden, sehr ruhig. Offen für Neues, für unentdeckte Gebiete. Es ist nicht wichtig, wie alt wir sind, ob wir geübt oder ungeübt in derartigen Erlebnissen sind.

Es ist nicht bedeutungslos, einigermaßen mit sich im Reinen zu sein. Es geht nicht um die vollkommene Selbstannahme, die gut ist, aber nicht unbedingt erforderlich (wir brauchen Zeit, um diese Dinge im Leben zu lernen), eher darum, dass uns momentan nicht allzu viel belastet, oder dass wir für die Zeit der Meditation die Last abgeben können.

Vielleicht hindert uns die Überzeugung, dass nur die Asketen in der Wüste, die ihr ganzes „privates" Leben aufgeopfert haben, die fasten seit ihrer Geburt und aus einer sehr besonderen Linie stammen (am besten gleich der Jesus-Linie) hören können, wie Gott atmet oder bis zum Knochenmark fühlen, dass er sie liebt.

Vielleicht hindert uns eine unbewusste Angst, dass wir wie die Heiligen leiden müssen. Leiden wollen wir aber nicht.

Vielleicht verseuchen uns andere Glaubensansätze. Das Denken, dass wir zu unrein, zu weit von Gott, zu unwürdig, zu böse, zu zweifelnd, zu unwichtig seien, hindert uns manchmal, Gott zu erleben.

Ein notwendiger Tipp an der Stelle wäre der Tipp, sich erst gar nicht zu fragen, ob wir Gottes Liebe verdienen. Wozu? Um sich selbst im Weg zu stehen? Um sich schlecht zu fühlen? Um sich eine falsche Antwort zu geben? Oder was ist, wenn etwas davon stimmt? Na und? Wo steht, dass Gott nur Gerechte liebt? WO?

Wer hat uns eigeredet, dass nur derjenige, der jeden Sonntag eine Messe besucht und so viel wie möglich an die Kirche spendet, alles beichtet (einem Priester berichtet), einer Institution gehorsam ist, der findet Gott. Von ihm stammte das nicht, auf keinen Fall. (In die Kirche zu gehen und zu spenden ist ratsam und wertvoll, aber NICHT absolut notwendig, um Gott zu erleben). „Eine Spende wäscht alle Sünden" steht in Syrakus Weisheiten. Ich weiß es. Ich rede über die Beziehung zu Gott. Lass dich von Gott finden.

Es geht eher um eine Haltung des Geistes im Moment. Das habe ich erfahren und das bezeuge ich. Wenn ich es konnte, kann es jeder, der will. Die obengenannten Tipps waren eben nur hilfreiche Tipps, aber keine Bedingungen.

Wir haben keine Ausrede. Keine. Keine Ausreden mehr.

Die Geschichte vom Grashalm, die die Erfahrung ausgelöst und herbeigeführt hat, stammte ursprünglich von der Predigt des Mannes aus dem sonnigen Walde im dunkelgrauen Anzug. Er wusste als erster, dass Gott jeden Grashalm für mich schuf, da ich sein geliebtes Kind bin.

Kapitel 12

Komplizierte Beziehungen mit Geistern

Mit dem Wissen wächst der Zweifel.
Johann Wolfgang Goethe

Am liebsten hätte ich Gott um alles gefragt. Ich verstehe nicht, warum die Menschen so besessen sind, die Engel zu rufen (man weiß nie, wie sie reagieren), wenn sie ebenso alles mit Gott absprechen können und Er, Gott der Engel-Chef schickt dann genau die Helfer, die wir im Moment einfach brauchen. Nicht einmal die Heiligen frage ich direkt, meistens gar nicht und nicht mal, wenn ich einen Schutz, eine Hilfe oder eine Antwort, Führung brauche. Nur, wenn ich mit denen reden möchte.

Aus meiner Erfahrung haben die Engel zwei „Outfits". Das erste sah ich immer, wenn die Engel meinen Freunden oder mir geholfen haben, uns geschützt haben, wenn sie für uns gekämpft haben oder bei Heilungen tätig waren. Sie trugen einen Panzer, ein Schwert, insgesamt so ähnlich wie Ritter. Sie haben metallische, mit dunkelblau und grün getönte Ausrüstung. Für solche Zwecke hat Gott besonders große Engel geschickt (die Schwerter sind bekannterweise nicht leicht). Sie gaben sich außergewöhnlich standhaft und stark. Mit Fürsorge und Zuversicht standen sie gleich an der Schulter desjenigen, der sie gerade gebraucht hat. Sie kamen nach dem Gebet.

Eines Tages luden wir Jugendliche zu uns nachhause ein. Ein paar nette Bekannte, Kinder der befreundeten Familien, wollten unter anderen die Heilige Schrift mit uns zusammen studieren. Sonntagfrüh wurde ich gefragt, sie dabei zu begleiten. Ich saß, betete und sang mit. Plötzlich sah ich, wie die Engel kamen und sich zwischen diesen netten jungen Menschen setzten, um mitzusingen. Sie waren anders gekleidet als die Engel-Kämpfer sonst. Diese Wesen waren in schönen, langen, weiß-pastell-farbene Roben gekleidet. Sie trugen zur gänzlich feierlichen, himmlischen Stimmung bei. Sie sangen mit und beteten, schauten sogar mit den netten jungen Menschen in die Liederbücher zusammen hinein. Es war so schön zu sehen, dass die Engel und Menschen die gleichen Gesichtsausdrücke haben, als wir da so zusammensaßen.

Die Engel kleiden sich je nach Bedarf und Gelegenheit so wie wir.

Eines Tages war ich in Frankreich an einem heiligen Ort, wo viele christliche Märtyrer ihr Leben für ihren Glauben geopfert haben. Es war in der Stadt Lyon, die vor zweitausend Jahren zum römischen Reich gehörte. Solche Städte haben damals über eine Arena verfügt. Zu unserer Zeit werden sie ausgegraben und den Menschen zum Schau gestellt. Es gab im ehemaligen römischen Amphitheater Zeiten, als die Früh-Christen unmenschlich an solchen Plätzen ermordet wurden. Die Ausgrabungen waren schon größtenteils gemacht, sie waren aber noch nicht ganz beendet. Ich beschloss durch einen Zaun hineinzuklettern.

Ich musste dorthin, sobald ich diesen Ort sah. Da an den Ausgrabungen noch gearbeitet wurde, durfte man noch nicht hinein, was auch auf dem überall herumführenden Zaun stand. Da ich alleine und schnell war, sprang ich hinein und setzte mich neugierig auf die warmen Steine. Ich betrachtete in Ruhe die altertümliche Arena und die Stiegen herum, die früher als Sitzplätze dienten.

Die Atmosphäre dort war damals wunderschön. Still und abgeschirmt fühlte ich mich an der Stelle, wo die Heiligen gestorben sind. Im Kontrast zu Löwengängen, wo es kalt und beängstigend war, so war es in der Mitte des Amphitheaters ausgesprochen friedlich, still und sehr angenehm. Es trotzte der grausamen Geschichte. Es war wie ein Gefühl der Heimat und Geborgenheit, vermutlich ist es im Paradies genauso. Zumindest in Teilen davon. (In einigen Teilen des Paradieses ist es sicher laut und lustig).

Unbeschreiblich zart schien die Sonne, sie durchflutete die Felsbrocken, die Arena und die kargen Sitzplätze. Der Lärm der

Stadt hat den heiligen Ort verschont. Es hat sich angefühlt wie ein Ort von einer anderen Welt. Es war keiner da außer mir, dachte ich zuerst. Doch als meine Augen sich an die strahlende Sonne gewöhnten, sah ich die vielen leuchtenden Wesen.

Ich betete in Gedanken. Die strahlenden Wesen mit Licht und Liebe, Männer, Kinder und Frauen, manche alleine, viele in Familien, kamen auf mich zu. Ich bewunderte, wie rein sie waren. Mit Bewunderung merkte ich, dass weder Groll noch Trauer zu spüren waren. Ich betete zu Gott, dass sie den Ort verlassen und zu ihm gehen, wenn es sein Wille ist.

Sie waren die Verkörperung des Guten. Ich bewunderte sie und ich dankte ihnen, dass sie ihr Leben gegeben haben und dabei so strahlend geblieben sind. Keine Beschwerde, nur Verzeihung und himmlische Liebe war da. Selbst in ihrer Situation sind sie körperlich ohne, dass Ihre Seele einen Groll erlitten hätte, gestorben. Das ist unser Erbe, die Liebe und die Verzeihung, die unmöglich aus dieser Welt stammen können.

Ich hoffte, dass sie in die geistige Welt gegangen sind. Ich liebte und achtete sie von ganzem Herzen. Manche von denen sind aber mit mir mitgegangen, zuerst unbemerkt. Sie blieben bei mir ohne, dass ich darüber nachgedacht oder bewusst entschieden hätte. Jahrelang habe ich sie bei mir gespürt. Man könnte denken, das wäre nur nett, nur ein Schutz für mich, es kam aber anders. Immer wieder zeigten sie sich mit einer Flamme.

Wenn ich in ein Kaminfeuer geschaut habe, oder mit meinen Kindern ein Lagerfeuer im Garten angezündet habe, oder auch in anderen Situationen, wurde mir eine Frage immer wieder gestellt. „Könntest du das auch für Gott tun? Würdest du auch für Gott ins Feuer springen? So, wie wir es getan haben?"

Beschäftigt mit einer Antwort merkte ich lange nicht, wer fragt. Ich dachte sogar anfangs, dass ich es selber war. Nach zigstem Male schaute ich mit meinen geistigen Augen, wer das so oft fragt. Es war wirklich lästig, störend und unnötig. Ich konnte das Feuer nicht genießen. Ich fürchtete mich jedes Mal, wenn ich beim Joggen entlang des Tiergartens abends die hungrigen Löwen bei der Fütterung gehört habe. Ich fürchtete mich vor den „Befragungen". Die Fragen haben nämlich denselben

Ursprung gehabt. Die Märtyrer der Vergangenheit waren bei mir. Sie haben versucht, mir auf eine Art zu helfen, mich zu Gott näherzubringen, mich zu einer guten Christin zu erziehen.

Ich bemühte mich manchmal, sie wegzuschicken, am besten direkt in das Himmelreich, sobald es mir klar geworden ist. Keine Gebete und keine anderen Bedingungen wirkten. Früher, als ich gesehen habe, dass etwas Dunkles bei mir ist, konnte ich es, sei es durch ein Gebet, eine kalte Dusche oder Verbeugungen vor Gott, loswerden. Aber die Geister waren gut. Sie machten die Verbeugungen mit oder standen daneben und genossen es, sie knieten beim Gebet nieder, sie hatten keine Angst vor Gott, sie fürchteten sich vor meinen Bedingungen nicht und sie wollten bei mir bleiben.

Ich sagte oft:

– Bitte geht weg.

– Warum sollen wir gehen? Wir helfen dir!

– Aber ihr seid von einer anderen Zeit. Ihr versteht mich nicht. Wie wollt ihr mir helfen?

– Indem wir dich erziehen und auf alle Situationen vorbereiten.

– Denkt ihr, dass Gott das will?

– Nein, es ist aber notwendig, für das große Opfern bereit zu sein, wenn man ein wahrer Christ ist.

– Ich will es aber nicht ständig hören. Ich will jetzt ein schönes Lagerfeuer mit meinen Kindern genießen und mich einfach aufwärmen.

Es hat mich gewundert und beunruhigt, da ich die Fragen für lange Zeit nicht zuordnen konnte. Ich habe es weder genossen, noch gewollt, dass mir zu der Zeit auch gewisse Heiligkeit zugesprochen wurde. Ich denke, dass es die Menschen um mich herum spürten und unbewusst mit geistigen Augen diese Heiligen neben mir sahen, aber nicht mich. Ich wollte es nicht weiter ertragen und die „Feuerfragen" schon gar nicht. Die Zeiten haben sich geändert, das Kaminfeuer oder das Lagerfeuer im Garten mit meinen Kindern wollte ich auf jeden Fall genießen. Jedes Feuer wollte ich als Gottes Schöpfung, die gut, freundlich, wärmend ist, als Geschenk Gottes an uns wahrnehmen.

Endlich verstand ich, was zu tun ist. Ich fragte Gott, ob Er sie zu sich nehmen mag und ob Er ab jetzt eine Begleitung für mich bestimmen kann. Ich betete, dass meine himmlische Mama und mein himmlischer Papa nur die Menschen und die Engel aus der geistigen Welt schicken können, die ich aus der Sicht meiner himmlischen Eltern in meiner jetzigen Lebenssituation brauche. Er soll mir zur weiteren Entwicklung helfen. Er, Gott selbst, soll entscheiden, wer mich beschützt. Er soll mich heilen, wenn ich krank bin. Er soll mir die Gedanken schicken, die jetzt zu mir passen und in meiner Realität verankert sind. Ich will für Gott nicht sterben, sondern leben, vorzugsweise mit sehr viel Freude. Wenn Gott entscheidet, was ich gefragt werden soll, dann höre ich die Fragen gerne. Gott ist ein weit besserer Entscheider für mich, als die Menschen, die mich weniger als Gott lieben und kennen. Sie haben selber ein schreckliches Schicksal vor tausenden Jahren erlitten und es hat ihnen bestimmt zum jetzigen Zustand der Seligkeit verholfen. Sie glauben deshalb, dass auch mir damit geholfen wird.

Ich achte darauf, dass ich genug bete, damit Gott mich führt. Wenn Er mir die Engel schickt, ist es O.K., ich danke ihm dafür. Wenn Er mir die frühchristlichen Heiligen schickt, liebe ich sie und achte ihre Aufopferung. Gott, Vater und Mutter sollen aber selbst entscheiden, wer bei mir bleibt und wer nicht. Ich würde es ohne nachzudenken jedem empfehlen.

Jesus, der eins mit Gott ist, kann ich uneingeschränkt und ohne Bedenken fragen. Eines Tages fragte ich ihn:
– Woher weißt du so viel?
– Ich bin schon immer da gewesen, seit dem Anfang der Zeit.
– Moment mal, du wurdest zu einem bestimmten Zeitpunkt in der Geschichte erschaffen, du bist nicht der Vater.
– Ja, aber Vater und ich sind eins.

Das war wieder eine typische, vollkommene Jesus-Antwort. Ich kann Jesus ohne Bedenken immer um den Beistand, die Führung, Heilung und Hilfe fragen. Ich hätte genug Beispiele dafür, dass Jesus' Rat immer gut ist, selbst, wenn er so oft unerwartet und verwunderlich ist. Er ist die richtige Adresse.

Ich frage ihn auch wegen allem: Die Antworten auf alle „W-Fragen", finanzielle Fragen, familiäre Angelegenheiten. Er hilft mir bei der Arbeit und in Beziehungen, gesundheitlichen Angelegenheiten, er gibt mir Schutz und bringt mir bei, die Verantwortung für mich selbst zu übernehmen.

Gott direkt oder Jesus zu fragen ist viel besser, als einem Engel oder einem Heiligen zu folgen. Ein Satz mit dem himmlischen Chef genügt. Meiner Erfahrung nach sind die Engel wie die Freunde der Geschwister. Sie helfen, wenn wir sie dazu motivieren, wenn sie glauben, dass wir es verdienen. Wie soll ich es aber schaffen, wenn es mir gerade schlecht geht? Wenn ich dringend Hilfe benötige, renne ich direkt zu meinem himmlischen Chef und er schickt mir den Beistand, den ich brauche. Ich muss es mir nicht verdienen, nur fragen. So einfach funktioniert es. Da du sein geliebtes Kind bist, frag ihn einfach und du bekommst die Hilfe, die du brauchst.

Denn in der guten geistigen Welt gibt es eine göttliche Ordnung. Keiner arbeitet auf eigene Faust und jeder tut das, was Gott ihm, mit Liebe, befiehlt. Besonders die Engel, meine Schatzis, führen Seine Dekrete sehr penibel aus. Sie lächeln alle. Jedes mal, wenn ich darüber nachdenke, erhellt es mein Gemüt sofort.

Gott ist wie ein Satellit, eine sichere Verbindung in jeder Beziehung. Jetzt, da du das weißt, kannst du es gut für dich nutzen. Er kennt dich und Er weiß, was für dich gut ist. Die Heiligen und die Engel mögen dir schon in bestimmten Situationen helfen, aber die Heiligen haben oft keine eigene Familie gehabt. Die Engel haben nie wie wir auf der Erde gelebt. Gott versteht deine Lage viel besser und Er hat das elterliche Herz, das liebt und verzeiht. Seine Liebe ist bedingungslos, ewig, unveränderlich und einzigartig, genauso, wie du es bist. Das ist für Gott Grund genug, um dir zu helfen. Die Engel und die Heiligen sind Gott ähnlich, sie sind aber nicht Gott selbst. Gottes Liebe und Verständnis für dich ist viel größer.

Kapitel 13

Wie sie aussehen hat einen Grund

Wenn ich in den Sprachen der Menschen und Engel redete,/hätte aber die Liebe nicht,/wäre ich dröhnendes Erz oder eine lärmende Pauke. Und wenn ich prophetisch reden könnte/und alle Geheimnisse wüsste/ und alle Erkenntnis hätte;/wenn ich alle Glaubenskraft besäße/und Berge damit versetzen könnte,/hätte aber die Liebe nicht,/wäre ich nichts. Und wenn ich meine ganze Habe verschenkte/und wenn ich meinen Leib opferte, um mich zu rühmen,/hätte aber die Liebe nicht,/ nützte es mir nichts.
Hl. Paulus, Korintherbrief (1 Kor 13,1–4), Luther Bibel

Mit meinen (geistigen) Augen sah ich ganz bewusst die ersten weißen Gestalten in Menschengröße während meiner ersten Erfahrungen mit dem Fasten. Die Geister, die ich damals sah, waren schön, mit weißem Licht umhüllt und strahlend, ich wusste allerdings nicht gleich, wer sie waren. Das musste ich noch lernen. Am Anfang konnte ich die schönen Pastell-Farben gar nicht sehen. Diese kamen später. Es hat sich wie von alleine entwickelt.

Zuerst sah ich die liebevollen Gestalten als weißes Licht, das eine menschliche Form annimmt, später erkannte ich in dem weißen Licht pastelle Schattierungen der Aura. Ich roch, hörte und spürte Engel (sie waren um einiges größer als die Menschen, sie erinnerten mich an einen Genie aus Aladins Lampe) und die geistige Atmosphäre um sie herum. Erst Jahre später verstand ich, dass bei weitem nicht alle so sahen, hörten und rochen wie ich. Oder es eigentlich einfach nicht alle wahrgenommen haben. Wahrscheinlich setzen wir selbst die Grenzen der Wahrnehmung. Ich bin überzeugt, dass alle Menschen die Voraussetzungen dazu erfüllen, um geistige Realität wahrzunehmen.

Wir alle haben physische, sowie geistige Sinne des Hörens, des Sehens und des Riechens.

Manchmal wurde ich bestraft, sollte ich je auf einen bestimmten Gedanken kommen. „Oje, der- oder diejenige, die ich gerade sehe, hat ziemlich stinkende, schmutzige Gedanken. Wie kann sie nur? Meine geistigen Sinne waren vollständig blockiert und zwar alle. Die nächsten zwei Wochen war ich wie blind und taub. Ich konnte die Vergangenheit bei vorbeigehenden Menschen nicht mehr auf einen Blick sehen. Ich musste zwingend lernen, Menschen nicht zu beurteilen, sie in Gedanken nicht zu richten und alle Versuche, sie aufgrund ihrer Fehler nicht wertzuschätzen, zu unterlassen. Mit der Zeit merkte ich, wie einfach und angenehm das Leben sein kann, wenn man sich daran hält.

Die weißen Gestalten um uns sind ein sicheres Zeichen dafür, dass wir die Hilfe gerade bekommen? So unglaublich heilig sind sie oder wir? Natürlich nicht. Die wirkliche Erklärung für die spürbare Anwesenheit der guten Seelen, warum die guten Geister zu uns kommen, ist, weil sie uns lieben. Es herrscht unglaublich viel Liebe in der geistigen Welt. Sie ist wie die Luft hier. Wenn wir wüssten, wie wunderschön die geistige Welt ist, würden wir nicht mehr hierbleiben wollen. Ich hörte von einer Frau, die sich beschwert hat, dass sie nach einem Unfall erfolgreich gerettet geworden ist. Sie war schon auf der anderen Seite und sie wurde zurückgeholt. Seitdem war sie ganz enttäuscht.

Ich konnte es mit Jesus' Worten erklären. Was hier gebunden ist, wird dort auch gebunden sein. Was hier gelöst wird, wird dort auch gelöst sein. Was wir hier im Leben gelernt haben, werden wir auch auf der anderen Seite können. Waren wir hier leicht und glücklich, werden wir auch dort leicht und glücklich sein können. Es ist wesentlich für uns, das Glück zu lernen, hier und jetzt, sodass es sich später natürlich fortführt.

Wir werden nach dem Tod und der Geburt in die andere Welt gleichzeitig jenen Menschen begegnen, mit denen wir emotional stark verbunden sind. Natürlich taucht die Frage nach der Art der emotionalen Verbundenheit auf. Am besten wäre, durch die Liebe verbunden zu sein und von unseren Ahnen und Engeln abgeholt zu werden, wenn es so weit ist.

Bei allen anderen Bindungen einer anderen Art, wie Hass, Rache oder Groll, wäre es besser, sie gar nicht zu pflegen. Sie sind ohnehin schon sehr anstrengend und sie sehen hässlich aus. Sie sind schwarz, trüb, gemischt mit dunklem, bedrohlichem Rot.

Die guten, liebevollen Seelen strahlen mit schönem Licht um sie herum. Dieses Licht trägt Frieden. Viele gute Gedanken stammen von guten Geistern. Sie geben uns Schutz vor anderen verwirrten Seelen. Sie führen uns gut und warnen uns, wenn es nötig ist, motivieren uns und schaffen die Klarheit in Gedanken. Sie helfen uns, auch die guten, schönen, liebevollen Gedanken zu pflegen. Die guten Geister sind einfach die guten Menschen, die Ruhe und Gelassenheit ausstrahlen. Ich bevorzuge es, zwischen zwei guten Menschen zu sitzen, wenn ich es mir aussuchen kann. Eine friedvolle Ausstrahlung der anderen führt zu ruhigen, klaren Gedanken von mir.

Eines Tages besuchte ich meine Freunde. Die beiden waren jung, Teenager noch, ihre Eltern sind ins Ausland ausgewandert. Sie taten mir beide leid. Ich begegnete den einsamen Beiden und beschloss, in ihrer Wohnung über Nacht zu bleiben. Ich war selbst noch in meinen Zwanzigern, doch wollte ich sie trösten und Zeit mit ihnen verbringen. Sie fragten mich, was für Geister mit ihnen wohnen, welche Seelen ich dort sehen werde und ob ich die Atmosphäre in den Räumen verbessern könnte. Die junge Frau war besonders sensibel. Sie sah manchmal die Geister um sich herum. Ich konnte ihr nicht einfach sagen, dass es ihre Fantasie ist. Sie bat mich um ein Gebet.

Ich ging in das Zimmer schlafen, wo laut der beiden die Atmosphäre am dichtesten war und schaute mich um. Ich sah einige Seelen, die dort verweilten. Sie waren uns ähnlich in ihrer Form, aber die Körper waren wie Glas. Kalt, durchsichtig, gewissenhaft, sie arbeiteten mit Sicherheit ihr ganzes Leben, als sie noch auf der Erde waren. Warum waren sie dann wie aus Glas? Ich verstand, dass es nicht reicht, gewissenhaft zu sein und schwer zu arbeiten. Lieben lernen ist der anstrebenswerte Zweck des Lebens. Liebe macht uns ganz. Die Liebe haucht Leben ins uns hinein.

Die Kälte dient keinem. Gewissenhafte Menschen werden ohne die Liebe und ohne die Warmherzigkeit in der geistigen

Welt nicht vollständig sein. Die Kälte spürt man selbst in warmen Räumen, wenn sie kommt. Es ist nicht entscheidend, ob sie noch physische Körper haben oder nicht. Die Seele ist dasselbe.

Übrigens sind die Eltern in schweren Zeiten ins Ausland arbeiten gefahren und haben die zwei Teenager alleine wohnen lassen. Sie hätten ganz andere Seelen ins Haus einladen können, als die, die von selbst gekommen sind. Möglicherweise waren die Eltern genau wie die kalten, dafür aber korrekten Apartment-Bewohner: Mit Sicherheit fleißig und tüchtig, aber herzlos den alleine gelassenen Teenagern, ihren Kindern, gegenüber.

Ganz anders sehen die guten, wahrhaft liebenden Menschen aus. Je höher sie in Sachen Liebe sind, desto schöner, strahlender sind sie und desto schneller können sie sich bewegen.

In Dunkelheit gehüllt sind die Menschen, die düster im Leben waren oder die sich verstecken wollen, weil sie düstere Geheimnisse haben. Die schönen Geister verstecken sich im Licht. Es gab aber keinen Grund, sich weder vor dem Dunklen noch vor dem Leuchtenden zu fürchten. Beide lebten einmal als Mensch auf der Erde.

Manche Geister wollten mich erschrecken und sie nahmen eine größere Form an. Sie mussten sich dabei aber ausdehnen und dadurch waren sie viel schwächer geworden. Je größer, desto dünner waren sie. Ich hatte nie Angst vor solchen Geistern.

Die anderen wiederum nehmen die Form der Vögel an.

Eines Tages kam ein glatzköpfiger Mann zu mir. Viel zu wenig Haare für sein junges Alter hatte er. Er war nicht einmal 30. Mit der Zeit merkte ich, was das Problem war. Eine gute Freundin brachte sich vor einiger Zeit um. Ich bat ihn, kurz in Gedanken zum Zeitpunkt zurückzugehen, an dem sie noch am Leben war. Als er daran dachte, sah ich viele schwarze Vögel, die seinen Kopf und seine Schulter attackierten.

Mir war gleich klar, dass dieselben bösen Wesen, die seine Freundin ins Grab brachten, versuchten dasselbe mit ihm zu tun, nur hat er sich wehren können. Das einzige, das ihn gestört hat, waren die Haare, die er verloren hat und ein leichtes Brennen im Brustkorb, das immer dann kam, wenn er an diese Freundin dachte und nur dann. Nachdem ich mit ihm zusammen zu seinem

Schutz gebeten habe, verschwanden sie und dann wuchsen ihm zu seiner Freude noch rechtzeitig vor seiner Hochzeit neue Haare.

Eines Tages informierte mich mein Kind ganz ruhig: Mama, ein roter Geist hängt in meinem Zimmer über meinem Bett. Ich verstand gleich, dass ich in Anwesenheit meiner Kinder weniger, oder am besten gar nicht, von geistigen Gestalten reden sollte. Andererseits war ich zum Beispiel meiner Oma so dankbar, dass sie mich in meinen Erzählungen ernst genommen hat. Sie half mir sogar, mit ihnen umzugehen. Ich danke in Gedanken auch immer wieder dem älteren Bruder, der mir gut zugeredet hat, dass geistig offen zu sein an sich nichts Schlechtes ist und mir nichts geschehen wird, ich werde nicht verrückt davon. Ein Prediger im dunkelgrauen Anzug gab mir eine gute Erklärung zu dem, was ich gesehen habe.

Ich nahm mein Kind bei den kleinen süßen Händchen und ging ins Kinderzimmer. Mein Plan war es, den Raum zu beobachten und das Kind zu beruhigen, indem ich ihm zeige, dass es nur eine Fantasie ist. Ich sah ihn, sobald ich die geistige Dimension über dem Bett betrachtet hatte.

– „Siehst du, Mama", hörte ich von hunderten überwältigenden Emotionen eine Stimme auf der Seite, wo ein warmes kleines Händchen sich zu mir kuschelte. Ein roter Geist mit schwarzen Stellen hing parallel zum Bettchen meines Kindes und er nahm ihn ganz und völlig wahr! Oh Gott, oh Gott! Ich brauchte schnell eine gute Lösung ohne einen akuten Schwächeanfall zu bekommen. Mein liebes kleines Kind starrte mich neugierig und ruhig an.

– Warum ist er da? Geht er wieder weg?

– Ich betete und segnete den Raum. Ich bat selbst Gott um seine Hilfe, da es sich um mein liebstes Häschen handelte.

– Er hat sich vielleicht verirrt und wollte bei dir bleiben, weil du so süß bist. Jetzt fliegt er gleich weg.

– Mit dem roten Mantel?

– Ja.

Eines Tages bat mich eine Freundin/Journalistin darum, einen Ausflug mit ihr zu machen. Wir sollten ein altes Schloss besichtigen, es genauer genommen von außen anschauen. Es ist schon dunkel geworden, als wir ankamen. Ich sah die gekrümmten, verschreckten Seelen der kleinen Kinder im Hofkeller. Ich wusste sofort, dass ein gnadenloser und gieriger Schlossherr sie alle so lange einsperrte, bis ihre Eltern, wahrscheinlich Leibeigene des Herrn, genug Steuergelder zahlen konnten. Als plötzlich der Innenhof beleuchtet wurde, war eine Steinstatue zu sehen, die ein gekümmertes Kind darstellte. Es war also wahr. Schon der Käufer der Statue wusste, warum ausgerechnet so eine Statue dorthin gehörte.

Da die Atmosphäre nicht besonders gut war, gingen wir auf die Straße, um das Schloss von außen zu betrachten. Intuitiv wusste ich, dass ein Brand dem Gebäude schon im 13. Jahrhundert Schaden angerichtet hat. Ich fand natürlich hoch oben unter dem Dach die schwarzen Spuren des Brandes, nachdem ich es gespürt habe.

Aus den Fenstern starrten mich unzählige weiße Geister an, die sich bemerkbar machten, aber die das Schloss Jahrhunderte lang nicht verlassen konnten. Sie machte Fotos und an den Schwarz-Weißen besonders gut zu sehen, waren die verzweifelten Gesichter, die an „Schrei" von Edvard Munch erinnert hatten. Es waren hauptsächlich Frauen. Ich dachte früher, dass die wohlhabenden Schlossbewohnerinnen mit Intrigen und Spielchen beschäftigt waren, ab jetzt war ich eines Besseren belehrt. Die Frauen hatten früher keine Macht. Die Macht hatten die Männer. Unabhängig vom gesellschaftlichen Status waren sie eingesperrt. Die Jüngeren waren oft in Türmen, sodass sie nur von oben herab hinausschauen konnten. Für die Älteren gab es Ausgänge, aber eher Hintertüren durch versteckte kleine Pforten am Parkende. Da sah ich die immer noch schleichenden Frauengestalten.

Selber hatte ich eine interessante Entdeckung in einem anderen, von der Atmosphäre her viel angenehmeren, schönen Schloss.

Eines Tages spazierten wir durch die Gänge und Säle, mein Mann und ich. Wir sahen, wie die Adligen immer noch auf weiß bedeckten Stühlen in der Schlosskapelle saßen. Es war gleichzeitig ein Konferenzraum für sie. Offensichtlich wichtig und öfter von ihnen besetzt. So wichtig, dass sie auch jetzt noch nicht wegkonnten.

Die eingesperrten Dorfbewohner kamen im Innenhof auf uns zu, wir spürten sie kurz auf dem Rücken, aber immer kehrten sie zu ihrem Verlies zurück. Sie waren nicht frei. Wie ich wusste, dass es ausgerechnet Bauern waren? Weil sie wie arme Bauern ausgeschaut hatten. Sie hatten Bauernkleider an, die Haare trugen sie wie früher üblich …

Wir gingen durch andere Gänge und große Räume. Ich wollte kurz durch das Fenster die Aussicht bewundern. Da sich hinter den riesigen, sehr alten Gemäuern noch Holztüren befanden, musste ich einen Flügel umgehen, um an das Fenster zu gelangen. Als ich fertig war und weitergehen wollte, hat sich die schwere Torhälfte von selber bewegt, sodass ich Platz zum Durchgehen hatte. Es war viel zu groß, um sich durch die Zugluft (die gar nicht vorhanden war) zu verschieben. Mein Mann stand in der Nähe und beobachtete es ebenfalls.

Als ich mich beruhig hatte, sah ich einen mittelalterlichen Diener und ich verstand unverzüglich, was geschehen war. Heutzutage öffnen sich Türen automatisch wegen der Bewegungsmelder. Früher – von Menschenhand. Die Diener standen vor großen Türen, um sie bei Bedarf zu öffnen. Da wir Hotelgäste waren, öffneten sie die Tore auch für uns. Die Menschen haben genau so, schätze ich, wie an ihren Lebzeiten, gearbeitet und ausgesehen. Ich lernte viel über die geistige Welt an manchen außergewöhnlichen Orten und von außergewöhnlichen Menschen.

Die Erfahrungen mit manchen Heilern genoss ich besonders. Ich könnte mich ohne Bedenken einfach hinsetzen und beobachten, wie sie heilen, wie sie arbeiten und wer ihnen geistig hilft. Sie konnten damit gut umgehen und ich meinerseits habe viel Freude gehabt, denen zu bestätigen, was sie ohnehin fühlten und mit Einzelheiten zu versehen.

Je nach ihrem Leben und ihren Prioritäten wurden die geistigen Heiler von Menschen begleitet, die in ihrer Zeit auf der Erde auch geheilt haben. Die Vergangenheit sah man ihnen an. Sie wussten, was sie tun. Begutachtete ich die Hilfesuchenden aufmerksam, führten sie die Hände der Heiler direkt auf die dunkleren und energieleeren Stellen und halfen mit.

Eines Tages traf ich eine Heilerin, die besondere Hilfe in ihrer Arbeit gehabt hat. Ihre drei Engel kamen immer mit ihr mit. Ich fand es sehr lustig, als ich sah, wie die drei Engel ihr auf Schritt und Tritt folgten. Manchmal, wenn sie das Bett und den Menschen umkreist hat, gingen sie der Reihe nach mit. Sie bewegten sich synchron, wie gehorsame Soldaten, ernst und konzentriert.

Einmal mochte mich der Heiler-Helfer aus der geistigen Welt gar nicht. Ich irritierte ihn einfach. Er hat sich sogar anfangs versteckt. Es handelte sich um einen Geist, der zu Lebzeiten ein Arzt war. Nach seinem Tod hat er sich aus irgendeinem Grund entschieden, den Reiki-Heiler zu begleiten. Er war wegen unserer Freundschaft eifersüchtig. Da der Arzt meinen Bekannten sehr mochte, hat er mich ihm zu Liebe geduldet.

Kapitel 14

Geisterscharen

Wenn ein böser Geist einen Menschen verlässt, geht er in die Wüste und sucht Ruhe. Wenn er sie jedoch nicht findet, sagt er sich: „Ich will zu dem Menschen zurückkehren, aus dem ich ausgefahren bin."
Und so kommt der Geist zurück und stellt fest, dass seine frühere Wohnung sorgfältig gefegt und gesäubert wurde.
Dann holt er sieben andere Geister, die noch schlimmer sind als er selbst und sie alle ziehen dort ein. Dann ergeht es diesem Menschen noch schlimmer als zuvor.
Während er noch sprach, rief eine Frau in der Menge: „Glücklich ist deine Mutter, die dich zur Welt brachte und an ihren Brüsten nährte!"
Er aber erwiderte: „Ja, aber glücklich sind alle, die das Wort Gottes hören und danach leben."
Mattäus (12: 46–50)
Bibel, Weltbild 2007

Eines Tages hat mich ein hübsches, junges, 15-jähriges Mädchen ins Gespräch verwickelt. Sie erzählte ganz ruhig ihre traurige Geschichte und sie tat mir leid. Ich lud sie zu Besuch in meine Wohngemeinschaft ein, da ich damals kaum älter war als sie. Ich versprach ihr, sie zu stärken, trösten, vielleicht würde sie einmal im Leben bei mir einfach ausrasten. Es wäre schon gut. Wir verabredeten uns auf einen Tee bei mir.

Als sich der Termin näherte, fing ich an zu beten. Sie verspätete sich und so betete ich weiter. Es vergingen Minuten. Plötzlich merkte ich, dass ich seit Stunden betete bis in die Nacht hinein. Ich bat die guten Geister um Hilfe, denn sie kam nicht und sie kam lange nicht.

Dafür kamen die guten Geister samt ihren Familien. Ich sah den langen Weg, den sie zu mir kamen, in verschiedenen

Kleidern gekleidet, von verschiedenen Epochen und Zeiten. Eines hatten sie gemeinsam, sie waren alle schön und hell gekleidet und sie strahlten Liebe und Frieden von ihnen und ihren Kindern aus. Sie lächelten alle sanft. Sie kamen uns zu Hilfe. Natürlich konnten sie das Mädchen nicht zwingen, zu mir zu kommen, aber sie konnten sie beschützen. Es ist auch möglich, dass, wenn jemand wie ich für eine Person betet und diese erwidert die Sorge nicht, das Gebet für jemand anderen „verwendet" wird. Das hörte ich und ich bezeugte es öfter. Es kommt manchmal ein anderer Mensch ins Leben und alles verläuft plötzlich so leicht und selbstverständlich, so als ob dieser Mensch das Gebet bekommen hätte und der erste ist, für den ich gebetet habe. Viele, viele Geister sind damals gekommen und auch die anderen Male. Genauso pastell-beige-rosa-gelb gekleidet und mit Herzen voller stiller, ruhiger Freude. Die Geister sind genauso unterschiedlich wie die Menschen auf der Erde.

Ich fragte Jesus, den starken Helfer:
– Wie ist es Kranken und Besessenen ergangen, die du durch den Austrieb der Dämonen geheilt hast?

Es beschäftigte mich, warum er das tat und gleichzeitig warnte er, dass, wenn einer ausgetrieben wurde, 100 andere kommen.

– Jesus, macht es überhaupt einen Sinn, die bösen Geister auszutreiben? Wenn ich jemanden wegschicke und dem Menschen wird es besser gehen, kommen viele andere. Soll ich das überhaupt machen? Ich sah und hörte, dass dann im geistigen Körper der Hilfesuchenden Löcher bleiben.

Er sagte:
– Ja, es geht nicht darum, dass die anderen Stärkeren noch kommen. Es geht darum, die Löcher zu schließen, sodass sie sich nicht mehr anhängen können. Schließe die Löcher. Stärke sie. Führe sie.

Ich wusste gleich, er meinte sicher die Geste „Führe sie zu mir".

Wir können viele verschiedene Seelen und Wesen auf unserem Lebensweg treffen. Sie können sich nicht automatisch bei uns anhängen.

Wie immer, führt uns Jesus in unsere Verantwortung zurück und Elohim führt uns ebenfalls dorthin. Er hilft uns, er kann das. Denn mein Gott ist stärker als alle Dämonen und Geister und als andere in dieser Welt. Ich habe nichts zu befürchten. Habe keine Angst, du sollst sicher wissen, dass dein Gott stärker ist als ein paar verwirrte oder gefallene Jenseitstrottel.

Kapitel 15

Sing mir das Lied vom Tod, sing es bitte ohne Angst

Leben ist nicht genug, sagte der Schmetterling.
Sonnenschein, Freiheit und eine kleine Blume gehören auch dazu.
Hans Christian Andersen

Das einzig Wichtige im Leben sind die Spuren von Liebe, die wir hinterlassen,
wenn wir ungefragt weggehen und Abschied nehmen müssen.
Albert Schweitzer

… selbst, wenn sie nicht wissen, wohin sie mal gehen werden, wenn es so weit ist. Ich hatte mal einen Traum darüber. Meine Oma war zu diesem Zeitpunkt noch am Leben, mein Opa war schon auf der anderen Seite.

Ich träumte, dass ich aus meinem Körper hinausstieg und dann wie durch eine Wand, wie durch ein Leinentuch durchgehen musste. Es sah unmöglich zu bewältigen aus. Ich schritt trotzdem leicht hindurch und befand mich in einem Haus, wo meine Uromas mit dunklen, warmen Kopftüchern saßen. Opa führte mich zu ihnen, sie begrüßten mich, als ob wir uns schon immer kennen würden. Wir waren stark verbunden. Ich sah sie das erste Mal, aber ich hatte nicht das Gefühl, dass sie mir fremd wären. Ganz im Gegenteil. Ich war so zu Hause, als ob ich immer schon da war.

Opa, der mich dahin begleitete, sagte zu mir:
– Du musst nun zu Oma gehen, wenn du wach bist. Sag ihr, wie man stirbt.

Es ist nicht schwer, sich vorzustellen, wie es war, zur alten Oma zu gehen, um ihr zu sagen:
– Oma, ich habe von Opa geträumt und er zeigte mir, wie man stirbt. Dann sagte er, ich sollte es dir auch erklären.

Ich hab's gemacht. Die sonst so lustige Oma lachte weniger. Sie sagte nur, dass Opa sie immer wieder besucht und für sie im Nebenzimmer so deutlich spürbar ist, dass es sie immer vergessen lässt, dass er eigentlich tot ist. Er war wie immer und für sie war es wie immer mit ihm. Sie ging oft hinaus zu den Tieren und hinein in die Küche und er saß oft und las die Bücher oder sang für sie, wenn das Arbeiten nicht mehr möglich war.

Im Nachhinein beschäftigte ich mich mit dem Thema. Aufgrund meines Berufes sind viele Menschen in meiner Anwesenheit gestorben. Ich sah oft, wie sie am nächsten Tag hinter ihren Körpern stehen und wie eine graue Schnur, die der Nabelschnur gleicht, die Brust des dahinterstehenden Geistes noch mit der Brust des verstorbenen Körpers verbindet.

Eines Tages legte ich die Hände auf meine erschöpfte Freundin. Ich suchte eine Stelle, wo die Energie am leichtesten in ihren Körper fließt. Es war am Hals-Chakra ganz mühelos. Sie erzählte: „Du wirst mir nicht glauben, aber einmal im Nachtdienst (im Krankenhaus) kam ein Engel des Todes zu mir und öffnete mir dieses Chakra. Dann ist er wieder gegangen."

Ich habe es begriffen. Er sollte jemand anderen abholen. Und er geht so vor: Er öffnet die Chakras und lässt den Geist des Körpers herausfließen. Das ist der Nebel in meinem Traum gewesen und das war die „Durch eine Wand wie durch ein Leinentuch durchgehen" Perspektive der Sterbenden. Danach muss sich der geistige Körper formen. Dann trifft man die Ahnen.

Ich sah einmal auch einen anderen Geist eines Menschen, der noch lebte. Er stand hinter seiner Tochter, mit welcher ich mich unterhalten habe. Ich sah ihn ganz schwarz. Ich wusste nicht, warum. Der Vater von meiner Bekannten verunglückte eine Woche danach. Er ertrank auf unverständliche Weise in ruhigen Gewässern. Die Bekannte plagte mich danach mit Fragen: „Und du hast wirklich nichts mehr gesehen? Konntest du es nicht voraussagen?" Sie plagte mich derartig mit den Fragen, dass ich endlich träumte, dass ich in ruhigem, seichtem Wasser bin, ich ziehe meinen Körper wie ein altes Sakko aus und schwimme in die beängstigende Dunkelheit wie in ein großes, hässliches Hai-Maul und er schluckt mich. So muss ein plötzlicher Tod aussehen. Kein Engel hätte mich in dem Traum behutsam weggeführt, keine Leinenwand gab es, um durchzugehen, nur ein Loch, das mich verschlingt.

Ich beschrieb Bekannten die Umgebung des Albtraums. So hat tatsächlich der Ort, wo ihr Vater verunglückte, ausgeschaut. Sie sagte auch, dass er seinen Körper wie ein altes Sakko behandelt hat. Ich träumte seinen Tod.

Der oder die Engel des Todes sind schön, riesig, strahlend, fröhlich. Er besuchte uns mal – mich und vor allem meine Freundin in einem gemieteten Haus. Wir wussten zu dem Zeitpunkt noch nicht, dass die Nachbarin gerade gegen zehn Uhr in der Früh starb. Ihr Mann kam zu uns, um zu weinen. Dann verstanden wir, wer dieser strahlende Engel bei uns vor ein paar Stunden war. Eine meinte, er hat uns besucht. Wir beteten viel zusammen in diesem Haus. Vielleicht ist er deshalb zu uns gekommen, vielleicht war er in allen Häusern, weil er die Nachbarin suchte, aber nur eine konnte ihn sehen.

Als meine Freundin im Sterben lag, besuchte ich sie. Sie war schon kurz auf der anderen Seite als Ergebnis einer medizinischen Komplikation einer Untersuchung. Dieses Mal ist sie zurückgekehrt. Sie erzähle mir ihre Geschichte.

Sie war gläubig und sie betete viel. Immer, wenn sie eine dringende Frage zu klären hatte, pflegte sie ein Ritual. Sie stellte sich eine hölzerne, kleine, alte Tür vor und sie ging mit ihrer Frage hindurch. Hinter der Tür traf sie immer denselben Mann mit asiatischen Zügen, der einst im kommunistischen Konzentrationslager die Nummer 585 trug. Sie stellte die Frage und bekam von ihm eine Antwort.

Als sie kurz gestorben war, ging sie auch durch diese Tür aus ihrem Gebet. Der bekannte Mann öffnete sie und fragte sie, ob ihre Zeit schon gekommen ist. Sie drehte sich um und sagte es ihrer wartenden Familie und einigen anderen Menschen. Er meinte, dass sie noch zurück muss. Er sagte dasselbe wie zu mir eines Tages: „Geh, ich warte hier auf dich".

Sie kehrte zurück und blieb noch zwei Wochen am Leben. Deshalb kannte ich diese Geschichte von ihr. Sie war wie ich. Sie konnte spüren, hören und sehen. Sie prophezeite mir die Dinge, die eher in meinem Leben zutrafen, als ich mir vorstellen konnte.

Auf ihrem Begräbnis kam sie als schöner Geist, feierlich be-kleidet. Ich habe später erfahren, dass sie so eine Hose manchmal wirklich trug. Sie sprach nicht direkt mit mir, weil es eine Feier war. Meine gute Freundin hörte den Liedern zu und den An-sprachen, die Erinnerungen darstellten, die die Menschen über sie teilten. Sie war fröhlich und in einer Art von weihnacht-licher Stimmung, gar nicht traurig.

In einem Moment kam sie zu ihren Angehörigen. In einem anderen, wenn die Blumen und die Erde flogen, hob sich plötz-lich ihre Seele etwas in die Luft. Ich verstand es so, dass sie neben ihrem Grabe stehen wollte, die Gebete mit den Rosen empfangen und mit sehr viel Würde den Abschied abwarten wollte, bei dem jeder einzelne Gast kommt und mit Verbeugung ein biss-chen Erde und Rosen ins Grab hineinwirft. Da aber schon ein anderes Grab parallel zu ihrem existierte, wollte sie nicht da-rauf stehen. Deshalb hob sie sich ein bisschen in die Luft, über das andere Grab, so, dass sie die Menschen gut sehen konnte.

Sie sagte mir noch, als sie am Leben war, kurz bevor sie ging:
— Du musst genau wissen, was du willst und genau das tun.
— Aber die Leute werden mich dafür hassen!
— Ja, aber du sollst trotzdem wissen, was du willst und das tun.

Ich begriff, dass ich wie ein Kind war, das sich nach der Liebe und Anerkennung sehnte. Ich konnte nicht so weiterleben. Ich entschied mich sofort, mich meinen Lebenszielen zu widmen. Das ergab viel mehr Sinn.

Ihre Prophezeiung traf so schnell ein. Ich litt im Nachhinein unmittelbar unter der Kritik und Ablehnung. Sie ließ mich aber nicht allein. Ich sah sie von hinten auf mich zukommen. Sie blieb hinter meinem Rücken stehen und sie legte ihre warme Hand auf mein Herz, um mich zu schützen. Es passierte immer dann, wenn jemand mich mit bösartigen Bemerkungen ver-letzen wollte. Sie schützte mein Herz.

Mit der Zeit wusste ich eher, wann ich die Verletzungen von anderen Menschen zu erwarten hatte. Ich ahnte es durch die Wärme an meinem Herzen und dem eindeutigen Händedruck. Sie kam schon, um mein Herz im Voraus zu schützen. Einige Wochen brauchte ich, um mich selber schützen zu lernen. Sie kam später nicht mehr so oft, um es für mich zu tun. Dafür kam sie, um mir den Weg zu ebnen. Irgendwie erschien sie immer ganz deutlich, wenn es um Projekte oder Events ging, die auch ihr wichtig waren. Sie war und ist mir eine Hilfe.

Genauso Oma, die sich nur um mich kümmert und mich stärkt. Die Oma ist nur an meinem Wohlergehen interessiert. So ist das, wie Jesus schon sagte, was hier gebunden ist, auch da drüben gebunden. Wir sind später so, wie wir hier waren. Warum auch sollten wir jemand anderes sein. Der Tod ändert nicht viel in unserer Seele. Manchmal wissen die Geister gar nicht, dass sie bereits starben und wundern sich, warum sie keiner hört. Es betrifft wahrscheinlich eher die Menschen, die im Diesseits gar nicht an das Leben nach dem Tod glauben. Sie können die Welt nicht mehr verstehen.

Ich hatte einmal einen Freund, den ich besonders schätzte. Als er starb, habe ich seiner Frau versprochen, ihn in die geistige Welt zu begleiten. Ich suchte ihn und ich wurde fündig.

Ich fand ihn in einem kleinen Raum, der ausgeschaut hat wie alle Räume in größeren Kirchen, wo sich die Priester umziehen und auf die Messen vorbereiten. Er saß auf einem Holzsessel wie auf einem Thron, betreut von drei Engeln und einigen Menschen. Vor ihm stand Jesus und hielt seine beiden Hände. Es hat sich wie eine Vorbereitung angefühlt. Es war schon zwei Tage, nachdem er gestorben war. Er wusste, dass es soweit ist, da er schon länger schwer krank war. Liebevoll begleitet von seiner Frau betete er noch vor dem „Übergang" und dann ging er friedlich weg. Ich besuchte ihn noch an dem Tag, an dem er noch lebte und gleich am nächsten Tag, an dem er an seinem Bett stand und sein Körper leblos im Bett lag. Zwischen ihm und dem Leichnam, in der Brustgegend, gab es noch eine starke Verbindung wie eine geistige Nabelschnur. Er war also noch nicht ganz getrennt. Sein Körper wirkte auch so: Die übliche weiße Blässe, die nach dem Tode auftritt, aber gleichzeitig jeden so präsent erscheinen lässt, als ob er gleich noch aufstehen könnte und gehen. Er sagte noch zu mir:
– Katja, ich habe dich gerne gehabt.
– Ich dich auch.

Wegen dieser Verbindung konnte ich ihn wahrscheinlich schnell im Geistigen finden. Ich fand ihn, als er auf dem hölzernen

Thron saß. Nach einiger Zeit wurde er von dem Nebenraum in den Hauptraum der Kirche begleitet.

Und dann sah ich ihn in der Mitte der Kirche. Er war fröhlich in der geistigen Welt, fröhlich wie an einer Hochzeit. Genau so, in Freude und Ehre wurde er willkommen geheißen. Zuerst wurde er von Engeln in die Mitte geführt, dann ging er zu dem mittig gelegenem Altar. Die Engelsscharen sangen wunderschön und fröhlich von den Seiten und an den Balkonen herunter. Einige Menschen standen rechts und links von ihm.

Ich fragte mich: „Und wo sind die Blumen? Ich wünschte, er hätte hell-rosane Rosenbouquets". Gleich nach dem Gedanken war die Kirche in der geistigen Welt mit riesigen Rosengirlanden geschmückt. Die Zeremonie und Gesänge dauerten noch tagelang. Alle freuten sich auf seine Geburt in der geistigen Welt.

Später hatte ich ein starkes Gefühl vernommen, dass er die Aufgabe bekommen hat, die Selbständigen zu begleiten. Es entsprach dem, was er im Leben gemacht hat, seinem irdischen Beruf. Er war ein sehr ehrenwerter, guter Mensch.

Die Geburt in die geistige Welt wird also groß gefeiert. Ich wusste inzwischen von einem Prediger, dass wir uns merken sollen, dass wir nach dem Tod stark, von ganzem Herzen, Jesus rufen sollen und er begleitet uns weiter. Du sollst keine Angst vor Jesus haben und lernen, dich nicht zu schüchtern zu fühlen. Ganz im Gegenteil – Du sollst Jesus ruhig in der Nähe haben und genießen. Eigentlich ist, eine einfache, unkomplizierte Beziehung mit dem Messias zu haben, das, was uns am meisten hilft. Wir sollten es eher begreifen. Bei solchem Beistand gibt es nichts, wovor wir uns fürchten müssen. Für die Zweifel, ob wir es verdient haben und die Angst vor Gott und Jesus haben, gibt es keinen Platz. Weit besser wäre, wir verlassen uns auf die Liebe und konzentrieren uns darauf, dass wir durch unser Wissen darauf vertrauen, dass Gott einen guten Plan für uns hat. Wir sind in seinem Programm vorgesehen.

Wir werden nach dem Tod, und ebenso der Geburt in die andere Welt, den Menschen begegnen, mit denen wir emotional stark verbunden sind.

Kapitel 16

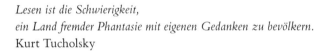

Die Attacken dauerten einige Jahre

Lesen ist die Schwierigkeit,
ein Land fremder Phantasie mit eigenen Gedanken zu bevölkern.
Kurt Tucholsky

Sie kamen, als ich noch sehr jung war. An einem sehr großen, anfangs leeren, flachen Platz mit sehr feiner, staubiger und dunkelbrauner Erde bedeckt wurde ich von Horden von S. angegriffen. Sie kamen plötzlich auf mich zu, anfangs zu zweit, dann zu dritt, dann krochen sie zu tausenden aus ihren Verstecken heraus. Sie rannten sehr bedrohlich auf mich zu.

Weit weg standen schwarze, dünne Rohre, Schrott, Überreste von hellen Blechhallen. Von dort rannten sie aus der S. heraus, sie hatten mich umzingelt, enger und enger wurde es und so bedrohlich, dass ich dachte, ich sterbe, sobald sie mich kriegen. Die schmutzig-gelben Ungeheuer mit riesigen Köpfen, dicken Haaren, (ich wusste nicht, ob es Dreads oder dünne Schlangen am Kopf waren) rissen ihre dunklen, grauen Mäuler auf, mit kaputten, großen Zähnen rannten sie auf dem heißen runden Platz, wo es keine Zuflucht gab, schnell auf mich zu.

Sie kamen so nahe, dass ich die Reste von Blut in ihren aufgerissenen Kiefern sehen konnte, als ob sie gerade altes stinkendes Fleisch (hoffentlich nicht menschlich) gefressen hätten. Unwahrscheinlich hässlich waren sie, mehr sandig-gelb als rot, beißend und voller Hass wie Zombies, nur ohne blutende Wunden auf den Körpern.

Sie wollten mich töten. Ich sah keine Möglichkeit, von tausenden, vielleicht zigtausenden Riesenmäulern, die sich alle auf mich fixiert haben und höchst aggressiv auf mich zugelaufen sind, zu entkommen. Überall waren nur die Bestien, die größer und stärker waren als ich. Ich konnte nur schwer weglaufen und ich könnte mich gegen eine solche Menge nicht wehren.

Es war Zeit für einen „unlogischen Glauben", so nannte ich die Momente, an denen ich an dem logischen Gesichtspunkt keinen Ausweg sehen konnte. In dem Moment hatte ich eben kein Entkommen vor dem sicheren Tod mehr gesehen. Ich sagte zu mir selbst: Es ist Zeit für unlogischen Glauben. Ich betete zu Gott: „Ich sehe keine Rettung, ich weiß nur, dass du mich trotzdem retten kannst".

Durch die Zeitperspektive sehe ich erst jetzt, dass im Leben immer wieder der Bedarf nach dem unlogischen Glauben kommt, wie ich es für mich nenne. Es ist die Zeit, in der es aus meiner Sicht keine Lösung gibt. Rational betrachtet, gibt es gar keine Lösung, keinen Ausweg und keine Rettung. Dann muss ich die Logik verlassen und zu meinem Schöpfer gehen und fragen. Ich sage zu mir selbst: „In der Logik gibt es keinen Ausweg. Jetzt ist die Unlogischer-Glauben-Zeit". Diese Art von Denken hat sich immer wieder gelohnt. Ich sah, wie es wirkt, durch die Realität und durch die Träume fließt.

Ich wachte unerwartet in meinem Zimmer auf. Ich wusste nicht, dass ich geschlafen hatte. Es hat sich eher nach einer Reise zu einem weiten Ort in der geistigen Welt angefühlt. Er rettete mich, indem er mich aufweckte. Das war die Rettung, selbst wenn ich im Traum keine Möglichkeit für eine Rettung sah.

Das kam jahrelang immer wieder in einer anderen Szenerie vor. Die S. machten Jagd auf mich.

Ich musste mich zu Jesus und zu dem Mann mit dunklen Haaren und asiatischen Zügen, im dunkel grauen Anzug und weißem Hemd gekleidet, wenden. Intuitiv, aber ganz sicher wusste ich, dass sie mit Gott zusammen die einzigen waren, die mir nicht nur helfen, sondern die Geschichte überhaupt ertragen könnten. Ich wusste es, weil er immer nach dem Aufwachen dort neben mir stand. Nach dem Ankommen, nach der Rückreise, schaute er mich ernst, aber nicht traurig an und dann ging er. Ich hörte und sah ihn ganz real die Tür hinter sich schließen. Nachdem ich gerade gerettet wurde, sah ich einen Mann weggehen, der gerade eine Tür hinter sich schloss. Das

Gefühl war noch stärker, wenn ich in dem Raum nicht nur träumte, sondern gerade krank war. Dann sah er nach mir und ging wieder weg.

Ich kannte ihn noch von Eingebungen und Träumen von meiner Kindheit. Ich traf ihn in einem sonnigen Wald, als er zu uns sprach. (ich wusste in wiederkommenden Bildern, dass es mehr von uns gab; ich hörte ihm nicht alleine zu.) Ja, er sagte etwas. Etwas Wichtiges und Gutes erklärte er uns. Er sprach zu uns, weil wir mehr waren, als ich mit der Zeit wahrnehmen konnte. Der Waldprediger aus den Visionen erklärte uns die Prinzipien im dunkel-grauen Anzug gekleidet und im weißen Hemd. Ich sah ihn gut aus kleiner Entfernung, manchmal sah ich seine Hand, die etwas kürzer als bei anderen Menschen ist, ein ganz kleines bisschen. Ich berührte die leicht gebräunte, Sommersprossen-Hand. Die Finger waren auch nicht allzu lang und leicht eingewinkelt. Damals ging es mir in seiner Anwesenheit gut. In dem von Sonnenstrahlen durchfluteten Wald (den habe ich in meinen Tagträumen auch klar wahrgenommen) fühlte ich mich ruhig und sicher, wo er stand und predigte. Wie lang oder kurz diese Begegnungen waren, konnte ich nicht abschätzen, als ob es ein heiliger transzendentaler Ort war, wo es gar keine Zeit gab. Das Gras hat in hellgrünen, gesunden, kräftigen Farben geleuchtet. Die Nadelbaum-Stämme strahlten Wärme und Geborgenheit aus. Daher weiß ich nur immer noch, dass es diesen Platz in beiden Welten gibt.

Die Menschen meines Alters, die den Mann in ihren Kindheitsvisionen begegneten, traf ich Jahre später im echten Leben. Ich wurde erst von ihnen auf die Erinnerungen an die Visionen aus der Kindheit aufmerksam gemacht. Wir hatten etwas gemeinsam gehabt. Wir alle wuchsen hinter dem Eisernen Vorhang auf. Das war wahrscheinlich der Grund, warum die Begegnungen nur geistig stattfinden konnten.

Es spiegelte sich in Situationen wieder, in denen ich im richtigen Leben, nicht nur im Traum, angegriffen wurde. Ich lebte eine Zeit lang in einer gefährlichen Hafengegend. Als ich einmal alleine in der Nacht heimkehrte, wurde ich unterwegs umringt und bedroht. Ich betete in Zeiten des unlogischen Glaubens, wie ich es für mich nannte und es passierte mir nichts. Eine Routine-Verkehrskontrolle – Die Streife kam wie ein Blitz aus heiterem Himmel und die Angreifer liefen davon. Die Angreifer waren da draußen auf der Straße und die bösen Geister gab es in den Träumen im Inneren.

An alle, die Leid erlitten haben: Meinen Kelch habe ich in der Kindheit schon trinken müssen. Manchmal kann Gott nicht anders. Manchmal ist es woanders noch schlimmer. Ich schreibe von Momenten, an denen die positive Steigerung noch möglich war und jetzt nehme ich es dankbar an.

Es gab auch untertags geistige Eingriffe. An einen erinnere ich mich ganz besonders. Ich war gerade 18 Jahre alt. Ich sah ihn, den Bösen, haarig, groß und hässlich. Er kam in mein Zimmer, wo ich alleine war und er hat mich attackiert. Er jagte mich von Wand zu Wand, hat versucht mir etwas anzutun und er sagte, dass er nie aufhören wird, außer ich verspreche ihm etwas. Ich sollte mich nie wieder mit besonderen Menschen treffen, mit den Menschen aus den Wald-Visionen.

S. hat bestimmte Menschen gemeint. Ich hatte mich gerade entschieden, zu ihnen umzuziehen und mein ganzes Leben Gott zu widmen, noch mehr als bisher. Ich wollte alles opfern, was Gott mir zu opfern sagt, alles lassen, nur seinen Weg gehen und mich um seinen Willen, um seine Kinder kümmern. Ich wollte seinem Sohn, dem wiederkehrenden Jesus, dienen und seinen Prinzipien auf das Wort folgen mit ganzem Herzen, mit ganzer Seele. Ich wollte unbedingt die Menschen lieben lernen, alles verzeihen können.

Es war wie eine seelische Folter. Ich habe trotzdem nie nachgegeben und ich schrie ihn an „Selbst, wenn du für immer bei mir bleibst, ich liebe und folge nur Gott und ich werde seinen Willen befolgen!". Nicht mal für den unlogischen Glauben gab es eine Zeit und einen Raum. Ich fühlte dann keinen Gott bei mir. Vielleicht das erste Mal im Leben.

Plötzlich sprang er durch das Fenster hinaus. Ich weiß nicht, wie lange er bei mir war. Er sprang direkt hinaus, wo ein echter, schwarzer Hund aus Fleisch und Knochen auf die schönen Blumen pinkelte, er zerfetzte sie, befleckte den in allen Farben blühenden

Frühlingsgarten. Der Geist sprang in den schwarzen Hund hinein. Das Tier reagierte heftig und zerstörte alles um sich herum.

Es ist plötzlich so still geworden, ganz still. Ich war wieder alleine. Ich bin in kürzester Zeit ausgezogen. Ich hatte keine Zweifel.

Ich vermutete, dass es in dem Zimmer geschehen war, weil ich in dem Zimmer Schlimmes erlebte. Ich hatte dort schlechte Träume. Ich hatte aber auch die Guten.

Ich sah S. Er ist schwarz, haarig, zittrig, voller Hass. Ich sah ihn zwei mal in der Stunde kommen, als ich mich mit einem Priester unterhielt. Ich erkannte ihn damals ganz genau wieder. Ich vertraute darauf, dass er mit meiner Wahrnehmung gut zurechtkommt. Nicht voreingenommen holte ich mir von den Geistlichen die Erlaubnis, mich zu öffnen, zu konzentrieren und, natürlich, ihm sofort von dem Gesehenen zu berichten. Der S. kam natürlich mit einer Versuchung oder mit einer bösen Botschaft. Sobald ich ihn aus der Entfernung bemerkte, warnte ich den guten Priester. Er betete. Der S. ging wieder, ohne die Verwirrung zu erreichen, weg, um eine halbe Stunde später wiederzukommen.

Ich wüsste zu gerne, wie oft S. zu anderen Menschen kommt, bei anderen Gelegenheiten. Das weiß ich nicht, weil ich es noch nicht beobachten durfte. Normalerweise gebe ich zuerst gar nicht zu, dass ich die Geister oder die Aura sehe. Erstens ist es gar nicht nötig, es lenkt sogar von dem Hier und Jetzt ab. Außerdem weiß ich natürlich nicht, ob die Menschen damit umgehen können. Also sage ich gar nichts. Stattdessen versuche mich auf das Pragmatische zu konzentrieren und so wenig wie möglich mit meinen geistigen Augen zu sehen.

Anders ist es, wenn ich mich mit einem Priester, Arzt oder Anwalt – einen gebildeten, emotional stabilen Menschen treffe. Wenn ich meinen Gesprächspartner als einen nicht zu leicht zu verschreckenden Menschen einschätze, gebe ich meine Fähig-keiten zu und genieße das Gespräch sehr. Mit der Zustimmung kann ich sehr frei reden und ein interessantes Feedback genießen.

So kam es zu der Situation, dass ich mich mit einem Geistlichen unterhalten habe. Ich bat wieder um Erlaubnis, den geistigen

Raum zu betrachten und darüber zu berichten. Erneut näherte sich S. damals zwei mal die Stunde mit seinen Versuchungen. Ich sagte es, sobald ich ihn sah und der Priester betete. Es entstand sofort ein Schutz und der S. verschwand bis zum nächsten Mal.

Die geistige Wirklichkeit ist realer als das, was man anfassen kann. Sie lässt sich nicht so schnell vergessen, im Vergleich zu dem äußeren Gesehenen. Es trifft einen tiefer, schneller, unvergesslich. Nach Jahren tauchen dieselben Bilder im Kopf wieder auf. Es ist interessant, dass sich geistig die Absichten, die grundsätzliche Einstellung der Geister und vieles mehr lesen lassen. Es geschieht in immensem Tempo. In einer Sekunde sind die vielen Informationen da. Öfter hatte ich das ganze Leben bei vorbeigehenden, unbekannten Menschen gesehen. Relativ schnell bat ich Gott darum, es zu stoppen. Ich weiß von ihm, dass es möglich ist.

Es gab natürlich Menschen über mein gesamtes Leben hinweg, die erhofft haben, eine Hilfe von mir zu bekommen. Ganz oft ging es um eine geistige Hilfe. Nicht selten tauchte ich in ihre Erinnerungen ein. Ich sah den schrecklichsten Ort des Leids, die Träume. Diese konnte ich mir besser anschauen als sie selber. Alle Einzelheiten stimmten.

Es ist dir nicht bewusst, dass vieles, was in deinem Kopf passiert, geistig ist und von außen kommt. Nicht unser Geist ist der Geist, der die Gedanken denkt. Ich bemerke die dunklen Gestalten, die die Menschen plagen. Sie sind auch nur gefangen und wissen nicht, wie sie an einem besseren Ort verweilen können.

Manchmal wohnen sie im Körper eines Menschen. Ich betete, dass sie abgeführt werden und in die geistige Welt gehen. Aus irgendeinem Grund hat es nicht immer funktioniert. Manchmal gingen sie sehr glücklich, um ihre Ahnen zu treffen. Manchmal hingegen entschieden sie sich, bei mir zu bleiben. Bei mir oder in mir war es ihnen viel lieber, als einfach frei zu sein und die schöne, geistige Welt erkunden zu gehen.

Wer sich den Gesetzen nicht fügen lernt,
muß die Gegend verlassen, wo sie gelten.
Johann Wolfgang Goethe

Ich hatte schon meine Methoden, es denen unbequem zu machen. Gute Seelen würden das nicht tun. Die kennen die göttliche Ordnung. Es ist nicht ihre Absicht, uns zu belasten. Die Dunklen hingegen pickten manchmal an mir oder in mir. Definitiv mochten sie nicht, wenn ich meinen Körper zum Beispiel mit kalten Duschen behandelt habe. Sie haben überhaupt nicht verstanden, wie man sich für gewisse Unbequemlichkeit entscheiden kann und deshalb bevorzugten sie mich zu verlassen.

Ich sah einmal den Geist des Mannes, der kaltes Wasser nicht mochte. Er stellte sich neben mich und anstatt mich ganz zu verlassen, sagte er: „Ich warte, bis du aufhörst, dich kalt zu duschen und gehe wieder in dich hinein". So ein sturer Geist! Ich ließ mich nicht zu sehr beeindrucken und ging mit meinem Schutzanliegen direkt zu Gott. Es half, denn mein Gott ist stärker als alles anderes auf der Welt. Wüssten es die Menschen, würden sie sich viel Geld für die Steine in den Ecken des Hauses und für Amulette, sowie den alten Tierzähnen am Hals ersparen. Manche Menschen bevorzugen es eben, sich zu verwickeln, statt sich zu entwickeln. Ich bin mir manchmal so unsicher dessen, ob es sich zu helfen lohnt.

Ich kannte noch ein paar Regeln, die ich mir zu Nutzen machen könnte. Die bösen, schweren Geister mögen es nicht und verstehen es nicht, dem Nächsten zu dienen, ihn zu lieben. Unternimmt man eine humanitäre Aktion, hält er das gar nicht aus. Genau so wirkt sich harte Arbeit auf der Seele aus. Das weiß ich noch von meiner Oma. Eine geprüfte Oma-Regel klingt: „Geh, Kind und arbeite dich durch. Du kriegst schnell den ganzen Unsinn weg". Es gab damals Menschen in der Umgebung, denen sie es besonders oft sagen musste.

Ganz effektiv ist es, den Tieren zu dienen. Das durfte ich durch meine eigenen Erfahrungen entdecken, als ich meine Tiere, jedes einzelne, stundenlang mit Wasser versorgte an einem viel zu heißen Tag. Nach einigen Stunden Arbeit im durch die Sonne überhitzten Stall ging ich heraus. Es ging mir viel zu gut im Nachhinein, unnatürlich gut. Nur so konnte ich es mir erklären: Alles Schlechte hat mich verlassen. Nichts, was von Gott kommt, könnte dienen und schon gar nicht den Tieren dienen.

Ich wurde den dunklen, sturen Geist los.

Eines Tages habe ich eine alte Frau, eine Frau aus dem vorherigen Jahrhundert aus dem Körper meiner Bekannten ausgeladen. Es war schon höchste Zeit, denn die gute junge Frau konnte nicht frei leben. Sie wollte frei von den sieben Stimmen im Ohr sein.

Ich erklärte, wie gut ich konnte, die Sinnlosigkeit, bei einem anderen Menschen zu picken. Sie hielt die junge Frau in ihren Armen fest und flüsterte den ganzen Tag hindurch: „Du bist mein, du bist mein."

Die alte Frau aus der anderen Epoche ging zwar weg, aber nicht in die geistige Welt hinein, sondern blieb bei mir in meinem Haus. Sie zeigte sich an den Stiegen. Lästig wandelten sich die Wände meines neuen Hauses in die Wände eines anderen, eines ganz Alten. Diese sah ich so ganz sicher nicht mit meinen eigenen Augen, sondern mit ihren.

Als ich in den Spiegel schaute, reichte es mir. Ich kämmte meine Haare, aber anstatt meiner kürzeren Haare und meiner Frisur sah ich im Spiegel, wie sie länger und länger werden und wie sie sich in Parallelen zum Stirnscheitel legen.

Ich machte alles, was nur möglich war, ich war außer mir. Schnell rannte ich zu dem Haus der jungen Frau und ich segnete ihn. In einem Zimmer sah ich noch zwei andere Ahnen, die schon längst verstorben sind. Anstatt die Ewigkeit mit ihrer Familie, die jenseits auf sie wartete, zu genießen, legten sich ein Uropa und eine Uroma in einem Zimmer so hin, wie sie verstorben sind. In dem Raum war es kalt und düster. Keiner könnte da wohnen. Das Zimmer war seit jeher unbenutzbar.

Ich betete und segnete sie mit meinen Methoden. Sie gingen. Das Haus änderte sich. In der Nacht war es besonders gut sichtbar. Wie ein Hexenhaus aus einem Disney Film in ein ganz normales, stilles, friedliches, altes, gemütliches Haus.

Kapitel 17

Die Träume

Ja, ich bin ein Träumer, …
denn nur Träumer finden ihren Weg durchs Mondlicht
und erleben die Morgendämmerung bevor die Welt erwacht.
Oscar Wilde

Ich träumte mal von einem schwarzen, teer-ähnlichen See. Ich schwamm, oder genauer gesagt, steckte da drinnen. Eine menschenschulter-schmale Halbinsel wuchs aus dem Meer hinaus. Die Halbinsel trennte das teer-schwarze Meer in Rechts und Links auf. Ich plagte mich darin auf der linken Seite. Es drohte, mich zu ertränken, weil der schwarze Teer so schwer zu bewältigen war. Ich konnte kaum im Teer schwimmen. Ich wusste, dass ich mit meinen beiden Händen sehr schnell paddeln musste.

Da stand auf der Halbinsel Jesus in einer weißen Robe. Der Messias hat sich entschieden, in dem Traum zu mir zu kommen. Er ging meiner Bahn entlang, ganz parallel. Er beugte sich zu mir und reichte mir die Hand, um mich aus dem schwarzen Teer zu retten. Um Seine Hand zu greifen, musste ich kurz aufhören zu paddeln. Ich fürchtete zu ertrinken, sobald ich aufhöre, mit einer Hand zu paddeln. Aus Angst habe ich dem leicht zu mir gebeugten Jesus meine Hand nicht gegeben.

Ich erzählte die ganze Angelegenheit meiner intuitiven und nicht allzu religiösen Freundin. Diese Art von Menschen habe ich am liebsten. Sie müssen jemandem weder etwas vormachen noch mich belehren. Sie haben es nicht nötig. Sie brauchen ihrem „ich bin ständig heilig" Image nicht gerecht zu werden, weil sie kein Image haben. So wunderschön entspannend sind sie. Ich vertraue pragmatischen, nicht auf „ich muss dich ständig

erziehen" getrimmten Menschen mehr. Sie sagte typisch blumen-
los für sie: „Es wäre mal eine Möglichkeit, sich auf Jesus zu
verlassen und sich retten zu lassen".

Ich entschied mich todsicher und felsenfest, nächstes Mal
aufzuhören zu paddeln, das ganze Risiko im Traum zu ertrinken auf sich zu nehmen und ihm meine Hand zu geben,
um mich retten zu lassen, falls Jesus wieder vorbeikommt. Der
Traum kam nicht mehr wieder. Wahrscheinlich, weil ich es
nicht mehr brauchte.

Du bist geliebt, ergreif die Hand und schenk Gott dein Vertrauen.
So darfst du jeden Morgen auf seine Güte bauen.
Psalm 32,10

Ich malte danach zwei Bilder darüber. Eines von den ersten
zwei Träumen und das Zweite von dem Traum, der jetzt ruhig
kommen könnte.

Mein Bedürfnis war, Jesus zu verstehen. Ich wollte nicht,
dass er einsam ist. Ich habe so oft erraten, dass viele sich vor ihm
fürchten. Die Menschen sind sehr scheu und sie fühlen sich so
schuldig, dass diese Schuld ihnen den Platz von Gott nimmt.
Die Schuld wird das Wichtigste in ihren Leben. Sie entscheiden,
reden, handeln, lieben sogar nur nach ihrer Schuld. So schade um
die so echte, so erfüllende Freude im Leben! Jesus ist ganz cool.
Es gibt nichts zu befürchten, ganz im Gegenteil. Es reicht schon,
sich den Lebensfreund im Raum vorzustellen. Anfangs genügt
es theoretisch nachzudenken, wo Er zum Beispiel stehen könnte,
wenn Jesus gerade da wäre, und Er kommt genau dorthin, wo
wir ihn hindenken Er wird mit der Liebe warten, manchmal mit
einem Körnchen Pfeffer drinnen, das dich zum Lachen bringt.

Denke lieber an die Freude, die zusammen mit Jesus kommt
als eine Nebenerscheinung, eine Nebenwirkung, und nicht als
die Sünde. Die belastet nur zerstörerisch das Gewissen. Lebe
deine Demut angemessen aus. Angemessen ist es, wenn sie dich
Jesus näherbringt und nicht von ihm entfernt. Du musst nicht
einsam sein und Jesus mit seinen himmlischen Eltern muss auch
nicht einsam sein.

Ich malte ihn, ich spürte ihn, ich stellte ihm meine Fragen. Ich stellte mir einmal das Ziel, ihn zu erleben und zu verstehen. Da ich an diesem Tag Spenden gesammelt habe, verkaufte ich einige Kleinigkeiten (Bilder, Blumen) auf der Straße und spendete sie dann für einen guten Zweck und ich betete, dass er mich dabei durch den Tag begleitet, zu meinem inneren Ziel.

Das Ziel war, Jesus Herz zu erfahren. Ich wollte spüren, was er spürte. Ich habe einen brennenden Wunsch gehabt, ihn dadurch besser zu kennen, sein Wesen zu verstehen. Ich beabsichtigte unbedingt nachzuvollziehen, wie es damals unter Menschen zu sein und zu predigen und abgelehnt zu sein war. Lange brauchte ich, bis ich genug Mut aufgebracht habe, um das Ziel ernst anzugehen, endlich war ich soweit. Wie lange sollte ich davonlaufen? Ich dachte darüber schon lange nach und gleichzeitig hatte ich einfach eine sehr große Angst davor. Die hinderte mich schon lange genug.

Natürlich habe ich die Ablehnung, die er erfahren hat, an dem Tag auch schmerzlich zu spüren bekommen. Ich habe Beschimpfungen gehört. Jemand hat mal in einem Wohnblock auf die Stiegen die Hunde auf mich gehetzt. Es war in einer eher exklusiven Gegend. Ich ging daraufhin in die Slums. Da öffnete mir ein Mann die Tür und er lud mich ein. Ich war meistens sehr vorsichtig, aber dieses Mal fühlte ich, dass es in Ordnung ist. Drinnen sah ich 1 Liter Wodka auf dem Tisch, noch ein paar Leere unter. Da saß ein großer, gemütlicher Hund. Ein anderer, jüngerer Mann saß auch da. Es roch nach Alkohol, aber die beiden waren noch nicht betrunken.

Der Ältere erzählte mir, dass er erst gestern aus dem Gefängnis entlassen wurde, deshalb feierten sie gerade. Er saß 17 Jahre. Ich kannte ein anderes Beispiel, bei dem jemand nach einem Mordversuch 17 Jahre saß. Während des Gesprächs fragten sie, was ich tue. Ich studierte Medizin zu dem Zeitpunkt. Sie scherzten, dass sie auch Erfahrungen in Sektionen mit einem Messer haben.

Der ehemalige Setzling bedauerte, dass er kein Geld hätte, um von mir eine schöne Karte zu kaufen. Er würde so gerne, aber Polizisten in dem Land schlugen ihn und sie nahmen das Geld weg, das er zum Schluss vom Gefängnis als eine Art Abfertigung bekommen hat, teilte er mir mit. Er machte mir einen warmen Tee. Ich durfte mit großen Alulöffel, dem einzigen in der Wohnung, Zucker nehmen. Er versicherte mir, dass keine Drogen darin waren. Ich fragte nicht danach. Er zeigte mir schwarz-weiße, schon sehr alte Fotos von seiner Kindheit, als er zur ersten Kommunion gegangen ist. Es rührte mich zutiefst.

Ein anderes Mal traf ich einen Mann, der mich ausfragte, warum ich das tue. Er wollte wissen, warum ich alleine in die Kälte gehe, fremde Menschen um eine Unterstützung bitte und ihnen erkläre, wofür.

Ich erklärte, dass ich das Geld für einen guten Zweck spenden werde, für mich tue ich es, weil ich Jesus Herz erfahren wollte. Der Mann in der blauen Jacke griff mich an der Vorhand, schaute mir in die Augen und erwiderte völlig erschrocken und durcheinander: „Sagen Sie sowas bitte nicht". Seine Augen waren weit aufgerissen, als ob er einen Geist gesehen hätte. Als er mir die Spende reichte, bemerkte ich das weiße Band am Hals, das aus der blauen Jacke herausgeschaut hat. Er war eindeutig ein Priester.

Was hat er wohl an dem Tag im Gebet gefragt? Er ging wieder sehr schnell weg, viel zu schnell, um ihn irgendwas zu fragen. Ich konnte nicht mehr erfahren, welche Antwort auf welche Frage er gerade bekommen hat. Ich schaute mich um und merkte, dass ich ihn auf einem Kirchturm angetroffen hatte. Ich konnte mich aber nicht erinnern, dorthin gegangen zu sein.

Jahre später hatte ich Familie und ich verkaufte keine Sachen mehr von Tür zu Tür. Ich träumte dafür wieder von Jesus.

Ich sah mich sitzend auf einer Bank und wartete auf die Anklage. Es war draußen im Freien. An einem sonnigen, sehr heißen Tag inmitten von hellgelben Mauern stand vor mir eine Menschenmenge. Alle waren in dunklen, roten, braunen und leinenhaften Roben gekleidet. Ich selbst saß auf einer Bank aus Stein. Neben mir saßen noch drei andere Menschen. Einer von ihnen war Jesus.

Es war vor zweitausend Jahren. In dem Traum war ich noch sehr jung, eine junge Erwachsene. Die Szenerie war altertümlich. In dem Bild wurde es mir klar, dass sie zu dritt verurteilt werden würden und zu dritt später auch hingerichtet. Diesen Teil der Geschichte bekommt man im christlichen Kulturkreis mit.

Vor Pilatus steht Jesus ganz alleine da. Das Kreuz hat er alleine getragen. Deshalb sollte man meinen, dass er auch alleine warten musste, aber der Traum hat mir etwas ganz anderes verdeutlicht. Ich habe aus der Bibel nicht ganz herauslesen können, dass Jesus sich an diesem Tag zwischen zwei anderen auf eine Steinbank setzen musste.

Eine todernste, brennende Tatsache erkannte ich auch, während ich darüber geträumt habe. Ich wusste genau, dass es zu damaligen Zeiten einen Brauch, vielleicht sogar ein Gesetz in Jerusalem gab. Immer dann, wenn sich jemand für den schuldig Gesprochenen selbst aufopfern und an deren Stelle kreuzigen lassen würde, würde anstelle des Verurteilten der andere gekreuzigt und der Gefangene frei gelassen werden. Ich erkannte es in dem Traum ganz genau. Jesus ist ruhig und leidend etwas weiter weg von mir gesessen, ich sah ihn von der Seite.

Ich kämpfte innerlich: Soll ich rufen, dass er unschuldig ist und ich bereit bin, an seiner Stelle zu sterben oder soll ich schweigen und zusehen, wie sie ihn wegführen? Ich rang innerlich mit mir. Kurz bevor ich mich mit Sicherheit entschieden hatte, war der Traum vorbei. Jesus, es tut mir so leid. Ich bereue es zutiefst, dich nicht sofort und nicht selbstverständlich in dem Traum beschützt zu haben.

Ich habe kaum glauben können, dass ausgerechnet ich den Traum gehabt hatte. Warum ich? Warum ausgerechnet damals und warum träumte ich von der Anklage?

Zu dem Zeitpunkt dachte ich schon, dass ich wahrscheinlich einen gierigen Mann anklagen musste, der meine Familie um viel Geld betrog. Ich muss also selbst vor Gericht. Ich hoffe, Jesus wird jetzt für mich da sein. Wo eine Anklage ist, ist Jesus?

Kapitel 15

Jesus in 3-D

Wir wissen nicht, wie groß wir sind, bis sie uns zum Aufstehen zwingen.
Und wenn wir es dann wirklich tun, wird unser Kopf durch die Wolken dringen.
Emily Elizabeth Dickinson

Ob intensiv oder leicht, mystisch oder pragmatisch, Erfahrungen kommen vollkommen unerwartet auf uns zu. Es ist mir schon bewusst, dass ich intensiv geistig sehen, hören, fühlen, sogar riechen kann. Es ist aber nicht selbstverständlich, dass ich hören, sehen, fühlen, sogar riechen werde. Würde mir jemand sagen, dass Jesus sich selbst die Zeit für ein deutliches Gespräch mit mir nimmt, dass ich in den nächsten Stunden ausgerechnet ihn hören, sehen, fühlen, sogar riechen werde, würde ich es für eine Fantasie halten. Ich würde es weder ernst nehmen noch glauben und schon gar nicht erwarten.

Jedoch, je schwieriger es wird, desto mehr Hilfe haben wir. Gott kann uns einfach nicht alleine lassen und nicht wegschauen, genau wie eine liebende Mutter, wenn das Kind sich verletzt oder trauert. Vertieft in eigenen Gedanken sehen die Menschen nicht, wie sehr Gott dabei ist, wenn etwas Trauriges passiert. Oben, unter, hinten, drinnen – Adonai (Alternativname für Gott) zieht seine Kinder aus der Trauer heraus auf trockenes Ufer. Wenn ein Kopfstand geholfen hätte, würde sich Gott auf den Kopf stellen.

Vor Opferhaltung sollten wir uns schützen! Die Opferhaltung ist so bequem! Man muss keine Rettungsboote sehen, nicht einsteigen, nichts für sich tun, auch nicht essen, nicht schlafen, kein Geld verdienen, nichts für die anderen tun, keine Träume erreichen, keine Berge besteigen, keine Landschaften sehen, keine Vögel hören. Nichts. Alles ist entschuldigt, wenn man sich schuldig fühlt.

Diese Opferhaltung ist sehr aggressiv. Es ist die Aggression, die gegen uns selbst gerichtet ist. Aber auch gegenüber den Anderen Opfer zu sein und zu seinem Nächsten zu sagen: „Du bist böse.“

Die Opferhaltung ist die Verletzung von Integrität dem Nächsten gegenüber. Das ist gezwungenermaßen eine große, ekelhafte Beschuldigung unseres Nächsten, den wir eigentlich nur lieben sollten und nicht nur die Feinde.

Die Opferhaltung ist unbarmherzig, es ist eine Sünde. Das Opfer macht den Täter zum Täter. Gäbe es keine Opfer, gäbe es keinen Täter. Automatisch. So einfach ist das.

Es ist in Gottes Augen sehr barmherzig, präventiv und mit allen Mitteln nicht zuzulassen, dass die Rolle des Opfers überhaupt entsteht. Dann entsteht auch kein Täter. Wenn es keine Verletzten gibt, gibt es keine Schuld und keine sogenannte Sünde. In jedem Fall. So einfach verhält es sich mit Opfern und Tätern. Bitte tue alles, damit sie nicht entstehen. Keine Opfer und keine Täter. Das weiß ich selber viel zu genau.

So viel zur Opferhaltung. Jetzt ein kleines Wörtchen über Trauer. Diese beiden bitte nicht verwechseln. Die Trauer ist ganz natürlich und sie macht uns mehr zum Menschen. Gott ist auch manchmal traurig. Die Trauerarten unterscheiden sich voneinander. Die natürliche, gottähnliche Trauer nimmt uns keine Energie weg. Wir können noch so betrübt sein, wir haben immer noch ein bisschen Energie zum Leben.

Die Trauer der anderen hingegen nimmt uns die Energie weg. Sie kann uns tiefer und tiefer mit sich ziehen. Sie transportiert uns auf eine Spirale, auf der wir nur noch herunterrutschen.

Es gab solche Zeiten in meinem Leben. Ich war derartig betrübt, dass ich nicht mehr weiterwusste. Ich konnte mich auf nichts freuen, zu minderst nicht lange. Es war einfach dunkel und logisch gesehen gab es keine Lösung. Alles war schlecht, egal, in welche Richtung ich gehen würde, egal, wie ich mich entscheiden würde, es wäre für irgendjemanden unerträglich. Es gab keine richtige Entscheidung in meiner damaligen Situation.

Kaum traf ich diese Freunde, war ich schon traurig. Ich habe mich beschäftigt, versucht, viel zu unternehmen, wegzufahren, Menschen zu treffen, einzukaufen, schwimmen zu gehen, Sport zu treiben, Bilder zu malen, zu schreiben, zu wandern – alles hat für gute fünf Minuten geholfen und danach ging es mir wieder schlecht, sehr schlecht. Alles umsonst. Ich konnte unternehmen, so viel ich wollte, es nützte nichts. Ohne zu zögern würde ich ein Königreich für einen guten Rat zahlen.

Mein Hals schmerzte, das Atmen fiel mir viel zu schwer. Die Menschen haben sich so weit entfernt von mir angefühlt. Ich habe sie angeschaut und ich dachte: Wenn ihr nur wüsstet. Ich wusste selber nicht, wohin ich mein trauriges Gesicht vor den Kindern verstecken sollte.

Letztendlich war ich in einem Kloster zu Besuch. Es war das St. Chiara Kloster. In einer Kapelle setzte ich mich auf den Teppich und schaute auf ein Kreuz. Jesus war darauf bunt angemalt. Ich betrachtete das Bild näher. Die blutenden Holzknochen, die an Kreuzen oft dargestellt werden, mag ich gar nicht. Ich kann mir gut vorstellen, dass Jesus es auch nicht mag. Wenn er eine Kirche, eine Kapelle, betritt, sieht er sich selber nackt dargestellt, aufgehängt am Kreuz, blutend, endlos leidend.

Seit Jahrtausenden schnitzen die Leute die nackten, blutenden, ausgehungerten Knochen. Sie sollen den Körper des lieben Jesus darstellen. Sie sollten es lieber lassen und Jesus vielleicht fragen, ob es auch sein Wunsch wäre. Ihr Schnitzer, würdet ihr die eigenen, nackten, blutenden Knochen auch so gerne darstellen? Ihr erinnert Jesus andauernd an das Leid anstatt an Wiederauferstehung und Sieg über den Tod und das Leiden. Ihr müsst einmal beten. Dasselbe sollten sich die Menschen fragen, die solche Knochen bestellen und bezahlen und danach noch zentral aufhängen, wo so viele Menschen zum Beten kommen. Seht ihr nicht, dass Jesus Körper da verunstaltet ist? Warum dekoriert die Kirche nicht mit anderen, besseren Symbolen? So viel geht mir durch den Kopf, wenn ich einen Raum betrete und eine sehr traurige Gestalt sehe. Schon als Kind wollte ich Jesus auf dem Kreuz zudecken, damit ihm nicht kalt ist.

Ich war in der Kapelle von Kloster St. Chiara. Ich sah ein Kreuz, an dem Jesus schön angemalt war. Sein Gesicht war strahlend und fröhlich. Ich betete zu ihm. Ich hätte immer noch einen Plan B, C und Z wenn es nötig wäre. Ich wusste immer weiter. Ich war immer so positiv. Dieses Mal aber, vielleicht zum ersten Mal im Leben, hatte ich weder Plan noch Hoffnung. Ich wusste nicht, was ich tun soll, weil egal, was ich tat, es half und änderte nichts. Manchmal hängt es wirklich nicht von uns ab, was die Mitmenschen entscheiden zu tun. In meiner Situation war es so. Das Leben drehte sich gerade schmerzhaft um mich, unabhängig von mir. Ich habe alles schon ausprobiert und es brachte keine Veränderung. Ich fühlte mich machtlos und kraftlos.

Jesus Gesicht aus dem Gemälde hat eine Form in 3-D bekommen. Seine Augen hat er auf mich gerichtet. Ja, er hat sich in 3-D bewegt, sein Gesicht, sein Kopf, wuchs aus dem Gemälde heraus und drehte sich direkt zu mir um. Ich sah, wie er sich langsam zu mir wendete und kraftvoll und ruhig in meine Augen schaute.

Er sprach:

Denkst du, dass es mir leicht fiel, innerhalb von drei Tagen meine Gefühle zu ändern, weil ich Gottes Sohn bin? Von der Trauer der Kreuzigung zur Freude der Wiederauferstehung? Wie ist es mir damals ergangen? Denkst du, dass es automatisch so war? Und so leicht? Du bist selber für deine Gefühle verantwortlich, also steh auf und geh!

Zuerst stand ich geistig und richtete mich auf. Ein Frieden legte sich auf die Stille, die auf mich kam und auf die Kapelle. Es war nichts da außer der allgegenwärtigen und doch lebendigen Stille. Jesus schaute wieder in 2-D in den Himmel (oder schräg auf einen Punkt in der Decke).

Es gibt eine Stille, in der man meint, man müsse die einzelnen Minuten hören, wie sie den Ozean der Ewigkeit hinuntertropfen.
Adalbert Stifter

Seine Augen schauten noch vor Minuten durch mich durch, ohne mich zu richten. Liebevoll, ernst, und doch nicht traurig schaute mich Jesus noch vor Sekunden an. Er hat mir keineswegs gesagt, dass es eine Kleinigkeit wäre, die mich bedrückt. Er riet mir, meine Gefühle zu ändern und zwar selber. Er hatte recht. Ohne es zu wissen, habe ich angenommen, dass es für ihn so selbstverständlich einfach war, im Handumdrehen zu lächeln, zu strahlen, seinen Sieg über den Tod und das Leid zu feiern. Ohne es zu hinterfragen, nahm ich an, dass es in meiner Situation gar nicht möglich wäre, irgendwas anderes zu fühlen als die Verzweiflung meines Lebens. Ich habe vergessen, dass der Winter für sich bereits ein Beweis dafür ist, dass der der Frühling kommt.

„So geh' und ändere sie (die Gefühle)." Ich ging und ich änderte meine Gefühle. Ich hatte ja von Jesus die Kraft, die Liebe und die Weisheit, die ich brauchte bekommen.

Kapitel 19

Ich hatte einmal einen Herzfehler

Wenn wir eine Freude ganz ungetrübt genießen sollen,
muss sie einem Menschen zuteilwerden, den wir lieben.
Marie von Ebner-Eschenbach

Seit ich 15 bin, sagten mir die Ärzte, dass ich einen kleinen Herzfehler habe, den ich nicht zu operieren brauche. Nur regelmäßig untersuchen, hat es immer wieder geheißen.

Mit Mitte 30 hatte ich ihn noch.

Einige Menschen haben mir ein besonderes Vertrauen und eine besondere Ehre geschenkt. Ich durfte ihr Herz anschauen. Es hatte alle möglichen Formen und Strukturen.

Manchmal war es wie ein Stein. Es hatte einen triftigen Grund, warum der Steinträger es mit sich herumtragen musste. Wenn ein Herz, meistens ein Teil davon, sich in einer Steinschale schützen musste, bedeutete es, dass er oder sie ein Sensibelchen ist und dass die Verletzungen zu stark waren, um sich wieder verletzlich zu zeigen. Wenn die seelischen Schmerzen zu schwer zu ertragen sind und wenn sie viel zu oft passieren, ist das eine schnelle Lösung für die liebende Seele. Hätte sie nicht geliebt, hätte sie sich nicht so sehr geöffnet und würde jetzt nicht verletzt sein.

Und doch – das ist der einzige Weg der Umkehrung. Dort, wo es noch schmerzt, was die Angst macht, wo ein Teil fast daran gestorben wäre – dort ist es an der Zeit zu lieben und sich wieder verletzlich zu machen. Anstatt sich in der sicheren, sehr einsamen Schale vor dem Glück zu verstecken, sollte man wieder lieben, geben lernen, wieder das Gute sehen, wieder an das Gute glauben. Es sieht nur unmöglich aus und es macht viel zu viel Angst. In Wirklichkeit führt es wieder ins Leben, ins hochqualitative, erfüllende Leben. Überwinde dich, soweit du nur kannst. Springe aus deinem eigenen Schatten und es wird sich lohnen. Schenke den Himmel, der in dir ist den anderen Menschen, den nächsten, dem Freund, dem Feind, dem Bekannten und dem Unbekannten. Wenn du es deinem Feind schenkst, bist du wie Jesus.

Es gibt so viele Herzen, die vor lauter Vorwurfspfeilen, die ganz oft von den nächsten Angehörigen stammen, wie ein Igel aussehen. Es gibt noch immer sichtbare offene Wunden oder Narben in geistigen Herzen. Die Aura an dieser Stelle ist schwarzrot, manchmal hell, in der gleichen Farbe, die Steine haben. Sie benötigt viele Gespräche, unbedingt in Geborgenheit und nichts als Trost und Verständnis.

Klärungsversuche bringen eher weitere Verletzungen. Jesus sagte zwar, dass die Wahrheit uns frei macht, aber er war die wahre Liebe selbst und deshalb stimmte und funktionierte es so gut bei Jesus mit der Mitteilung der Wahrheit. Wir müssen sehr darauf bedacht sein, dass teilen nicht zu austeilen wird. Sonst stimme ich Jesus nicht zu. Wahrheit alleine tut weh. Wahrheit alleine brennt und richtet. Die Wahrheit aus dem Munde von Jesus machte sicher frei, denn die Wahrheit mit der Liebe zusammen kann uns frei machen. Frei von Schuld, frei von Schmerz, vor Vorwürfen und frei von Erwartungen auf etwas Bestimmtes.

Nur dann, wenn ich mit der heilenden, tröstenden und alles verstehenden Kraft der Liebe die Wahrheit über mich höre, werde ich frei sein und leben.

Ich saß am Tisch. Mir gegenüber saß ein Freund, dem ich geistiges Sehen beibringen wollte. „Lass uns üben" sagte ich. „Was für ein Bild erscheint, wenn du zum Beispiel mein Herz anschaust." Er sah in meinem Herzen einen Spieß. Ich sah ihn auch. Sofort fühlte es sich stimmig an. Seit Jahren fühlte ich ein Stechen in der Brust, es tat mir oft weh.

„Bitte zieh' ihn nicht heraus, ich sage es lieber Jesus, er kennt sich mit Spießen aus. Er macht das vorsichtig, nicht zu schnell. Ich könnte sonst ausbluten."

Den Spieß kannte ich. Ich kannte auch die Person, die ihn am anderen Ende hielt.

Ich betete zu Jesus für eine Heilung. Ich gab ihm Zeit. Ich biete ihm an, dass er das langsam macht, vorsichtig. Ich versprach, mich in der Zeit zu schonen, mich auf die schönen Dinge zu konzentrieren. Ich wollte Jesus ein paar Wochen Zeit für die Heilung geben. Ich wusste, er macht es. Er hat es mir gesagt.

Sicher 40 biblische Tage wartete ich auf die ärztliche Untersuchung. Dann ging ich meinen Herzfehler wieder untersuchen. Ich erklärte mein Anliegen. Der Arzt schaute. Und schaute erneut. Und wieder kontrollierte er, ob er alles gut gesehen hatte. Dann blickte er mich an, als ob ich eine hypochondrische, völlig durchgedrehte, verwöhnte, untergebildete alte Jungfrau wäre und informierte mich, dass mein Herz völlig gesund ist. Bis zur nächsten Herzuntersuchung kann ich mir gute acht bis zehn Jahre Zeit lassen, meinte er.

Kapitel 20

Hände des Lichts

Monde und Jahre vergehen und sind immer vergangen,
aber ein schöner Moment leuchtet das Leben hindurch.
Franz Grillparzer

In einem Büro saß eine Frau, die viel arbeitete. Sie arbeitete bis
spät abends, sie war oft müde. Ich betete und legte meine Hände
an ihren Kopf, um ihr Energie zu geben. Dann sah ich Hände
aus Licht neben meinen Händen. Ich wusste, es war Jesus. Er
half ihr mit mir zusammen. Mehr sah ich in dem Alter nicht.

Dieselben Hände habe ich Jahre später auf meinen Händen
wiedergesehen. Ich kehrte gerade aus Jerusalem zurück und ich
spürte Jesus neben mir, ohne ihn zu sehen. Ich habe Jesus in
seinem Geburtsort und seiner Heimat besucht und so ist er auch
schnell zu mir zu Gast gekommen. Mein pragmatisch orientierter
Mann meinte am Telefon, dass ich ihn schnell um Hilfe bitten
soll, wenn er schon mal da ist. Mein Kind war krank und ich
brauchte Hilfe. Jesus sagte:

– Mach das doch selber, du kannst das.
– Nein! Wer bin ich schon.
– Du kannst das.
– Bitte hilf mir.
– Nein, tue es einfach!
– Du!
– Nein, du selbst!

Endlich haben wir uns geeinigt, es zusammen zu tun. Wir
gingen zusammen ins Zimmer, wo mein Engelchen so friedlich schlief. Ich legte meine Hände auf den Kopf meiner Tochter
und ich sah die leuchtenden Lichthände von Jesus auf meinen
Händen. Sie wurde schnell gesund.

Ein anderes Mal, das sich viel früher abgespielt hatte, erschienen die Hände des Lichts vor meinen Augen. Es war acht Tage nach der Geburt meines Sohnes. Ich und mein Mann legten ihn auf ein Deckchen, dann knieten wir uns hin, um zu beten. Wir gaben ihn Gott. Wir beteten, dass es sein Kind ist, möge er ihn nehmen und wir werden uns um ihn kümmern.

Der kleine Bub weinte zuerst, es war schwierig zu beten. Plötzlich hörte er zu weinen auf und lächelte, wie Babys lächeln. Ja, sie lächeln. Wissenschaftler dürfen uneingeschränkt diskutieren, ob es bewusst, halbbewusst, oder ein viertel bewusst möglich ist. Mir ist es gleich. Wir beide sahen unseren winzigen Sohn deutlich lächeln.

Diese Veränderung war so unerwartet, dass ich mich neugierig konzentrierte, ob ich mit meinen geistigen Augen etwas sehe. Hände des Lichts spielten mit ihm. Mein Kind lachte und spielte in der Luft mit. Ich sah nicht nach, wer das war. Wir beteten weiter.

Ich wollte, wenn ich eines Tages Kinder haben werde, sie immer schon im Jordan taufen. Ich wollte zum Toten Meer.

Wir erfuhren, dass große Friedendemonstrationen im Heiligen Land veranstaltet wurden. Trotz Unruhen entschieden wir uns unverzüglich hinzufahren.

Wir tauften die Kinder. Ein Freund tauchte auf, den ich da nicht erwartet hatte. Er ist beim Jordan wie aus der Erde herausgewachsen. Seit Jahren hatte ich ihn nicht gesehen, weil er im Ausland lebte. Nicht geplant, aber sehr gewünscht, hatte ich gleich einen Paten. Der Jordan war für die meisten von uns Reisenden überraschend klein. Es war kein Fluss, eher ein größerer Bach, bis zu 6 Meter breit. Ein jüdischer Reiseführer erklärte uns, dass es nicht darauf ankommt, wie groß die Flüsse sind, sondern wie bedeutsam. Groß oder klein – es war schon immer mein Wunsch, die Kinder dort zu taufen, wo Jesus getauft worden ist.

Die Taufe wurde in einer christlichen Kirche nicht anerkannt. Ich sollte die Kinder nochmal taufen, um einen Schein vorweisen zu können. Natürlich würde ich das nicht machen. Warum sollte eine Taufe in kirchlichen Mauern irgendwo in Europa gültiger sein, als im Jordan?! So tief sind wir Christen gefallen, dass der Ursprung nicht mehr gilt, dass ein bürokratischer Vorgang mehr geschätzt wird und ein religiöses Erlebnis, eine Tradition des Heiligen Landes nichts und wieder nichts bedeutet.

Ich reiste tausende Kilometer mit der ganzen Familie nach Israel und Palästina, um sie zu taufen, jetzt sagen mir die kirchlichen Bürokraten, dass die Kinder für sie nicht getauft sind. Was für eine Schande! Hat jemand Jesus gefragt, ob er diesen Zustand gut heißen kann? Segnet er solche Kirchen? Will er deren Existenz, fordert er deren Entwicklung? Gute Fragen für den Verantwortlichen der leblosen Institutionen!

Ich sah in der Stadt Jerusalem bei einem Happening, wie ein Moslem, der ein Leiter der muslimischen Gemeinde war, und zusammen mit einem Rabbi und einem christlichen Priester krönten sie Jesus auf der Bühne symbolisch. Wir sangen und sangen an den Demonstrationen: „Peace, Schalom, Salam aleikum, we pray for peace in the Middle East". Meine winzigen Kinder sangen im Herzen mit. Der ehemalige Gefangene mit der Nummer 595 war geistig auch dabei. Es war sein Wunsch, dass Jesus hier auf Erden König wird.

In der Menschenmenge war ich ständig darauf bedacht, auf meine Kinder aufzupassen. Sehr neugierig und lebhaft wollten sie alles anschauen und anfassen. Mir fiel auf, dass man in den orthodoxen Kirchen alles anfassen durfte, in Katholischen vielleicht durch ein gepanzertes Glas sehen. Wir liefen ihnen die ganze Zeit nach. Dank dessen, dass mein blondes Mädchen so süß und klein war, kamen wir schnell durch alle Grenzübergänge in Jerusalem durch. Wir besichtigten die Klagemauer sowie die Hauptmoschee, wo Abrahams Altar stand.

Kurz nach der Rückkehr in die Heimat besuchte Jesus mich von seiner Seite aus.

Jesus sagte:

– Lege deine Hände auf deiner Tochter. Du kannst sie heilen.

– Nein, kann ich nicht, bitte mach du es, Jesus.

– Doch, du kannst es.

– Nein, ich kann es nicht.

Letztendlich taten wir es beide. Ich an ihrem Kopf und er mit seinen Lichthänden auf meinen einfachen Mutterhänden.

Die Zeiten, als ich Jesus ganz genau in seiner ganzen Form sehen und hören konnte, sind erst später gekommen. Sehen ist allerdings nicht von Bedeutung, wenn man ihn spürt. Jesus unverwechselbare Ausstrahlung und Anwesenheit lässt sich ganz leicht durch einen besonders fröhlichen Frieden erkennen.

Es gibt noch eine einfache Möglichkeit, mit Jesus in Verbindung zu treten. Es geht so, dass wir ihm zuerst gelassen den Auftrag geben, unseren Vorstellungen zu entsprechen. Dann geben wir ihm den Auftrag, ihn unbedingt genau sehen zu wollen. Zu den Aufgaben gehören auch alle komplizierten Theorien über das Anders-sein von Jesus, anders als wir. Jesus war Gottes Sohn, so sind wir auch. Alles andere ähnelt eher einer Alien-Theorie als dem, was Jesus für uns ist, etwas mehr Freund und Helfer.

Es ist gar nicht so schwierig, sich Jesus für den Anfang nur rein hypothetisch vorzustellen. Es genügt, sich zu versinnbildlichen, wo er rein theoretisch im Raum sein würde. Wo würde er vielleicht stehen, wenn er da wäre? Was würde er tragen? Wie würde sein Gesicht ausschauen? Wäre er traurig? Oder würde er ruhig lächelnd neben mir stehen?

So fängt es an. Wenn die ersten Bilder entspannt kommen, können die ersten Fragen beginnen. Bei jeder inneren Frage wird sich sein Gesichtsausdruck leicht ändern oder nur der Kopf. Manchmal nickt Jesus lächelnd, manchmal wird er fast finster. In dem Fall bedeutet es nein.

Ich nehme Jesus für geschäftliche Verhandlungen mit. Schon alleine deshalb, dass ich innerlich von dem zu starken Austausch mit Verkäufer oder Geschäftspartner aussteige, wenn ich mich auf Jesus konzentriere, hilft mir, mich nicht verwirren zu lassen. Seine 2000 Jahre lange Erfahrung lässt sich merken. Er kennt sich mit Geschäften bestens aus und deshalb kann ich mich auf seine Ratschläge verlassen.

Unsere Gesundheit, unser Wohlbefinden, unsere finanzielle Situation ist ihm wichtig. Gott und Jesus wollen, dass wir glücklich sind und ein erfülltes Leben führen. Das will ich für meine Kinder und Freunde auch. Ich wünsche es mir für alle Menschen. Wie sehr wünschen es sich Gott, Vater und Mutter, Jesus, unsere geistigen Führer und Begleiter, Heiligen, unser liebes Engelchen, unsere Ahnen! Wir haben so viel Hilfe und Beistand! Wir sind von der Liebe umgeben von Anfang an.

Kapitel 21

Ein Gebet, ein Traum
und eine Postkarte. Omophorion

Im Traum und in der Liebe gibt's keine Unmöglichkeiten.
János Arany

Gott ist sehr, sehr sensibel. Nicht nur die Taten, sondern sogar unsere Gedanken erfreuen oder verletzen Gottes Herz. Ja, richtig gelesen. Gottvater hat ein Herz. Er kennt die Gedanken, die Zweifel, die Zerrissenheit, das Misstrauen und Beschwerden.

In christlicher Tradition ist es klar, dass Gott unsere Bedürfnisse kennt, uns selber kennt, wie wir sind. Das hört man seit der Kindheit. Es gibt aber mehr als das. Das kann man sehr leicht in alten Kirchen herausfinden. Als ich mich einmal neugierig in den Petersdom im Vatikan setzte, konnte ich meinen Gedanken kaum zu Ende denken und hatte schon eine Antwort darauf. Nicht nur eine Antwort, ich sah den Menschen, für den ich betete, in seiner Situation viel besser, klarer, umfangreicher. Ich musste lachen, als ich zum Beispiel bei einem alten Freund verstand: „Ah, du bist nicht der Papst deiner Kirche."

Ich war begeistert! Seit hunderten von Jahren beten die Menschen dort. Sie haben einen freien, extrem breiten Kanal zu Gott freigebetet. Die Kommunikation ist weit mehr als zufriedenstellend. Es genügte, nur mit dem Denken anzufangen. Es fließt in dieser Sekunde gleich zurück. Klare, verständnisvolle Liebe ist in dem Moment da. Ich könnte dort Jahre sitzen und ich wäre erfüllt. Es war nicht nur hell und leicht.

Ich musste zur Exkursion zurück. Trotz des ausgemachten Treffpunktes warteten wir Stundenlang auf unseren Busfahrer. Verwundert fragte ich mich nach dem Grund seiner Verspätung. Ich konzentrierte mich, um geistig zu sehen. Ich sah riesige, rötliche Hände hoch über der Straße kriechen, um mich gierig zu halten. Ich stellte mir vor, wie ich sie durchschneide. Nach fünf Stunden kam die Hilfe, man erreichte die Botschaft. Eine Dolmetscherin hat angehalten und führte uns zu einem anderen Fahrer, den sie organisiert hatte. Sie war, wie Jesus gesagt hat: „Wenn jemand dich danach fragt, zwei Meilen mitzugehen, gehe fünf. Oder sieben? Das sagte ich ihr mit dem Risiko, dass sie mich für eine komische Fanatikerin hält. Das Risiko hat sich damals gelohnt.

Kennst du das Land, wo die Zitronen blühn,
im dunklen Laub die Goldorangen glühn?
Johann Wolfgang Goethe

Ich musste mich an dem Tag auch schon öffnen, oder besser gesagt ich wollte es, als wir in Bagno Vignoni waren. Dort führte der Weg der Pilger durch, die auch seit Jahrhunderten dort anhielten, um sich zu waschen. Man sagte, das Wasser an dem Ort wasche alle Sünden rein. Praktischerweise waren die Bäche auch im Herbst ganz warm, sie flossen schon warm aus der Erde.

Da die ganze Gruppe ganz lieb an dem Ufer saß und die Füße in den warmen Bach hielt und alle sich über die herrschende Ruhe wunderten, beschloss ich, meine Neugierde zu stillen und konzentrierte mich wieder. Ich wollte sehen, wie es funktionieren soll, die „Sünden zu waschen".

Ich sah die Engel etwas Dunkles von unseren Körpern mit den Händen wegkämmen. Sie säuberten uns geistig und leiteten die dunklere Energie (es war nicht so viel und nicht sehr dunkel) direkt ins Wasser.

Ich glaubte aber kaum, dass es die Sünden waren, die wir hatten. Es waren der Stress und die Sorgen, die uns belasten, nicht die Sünden. Davon will Gott uns befreien. Das Gefühl hatte ich, wenn ich geistig die reinigenden Gewässer in der schönen Toskana beobachtete.

Zurück zu dem anderen Jahr meines Lebens.

Ich war 16. Da ich Musik und besonders Chöre sehr mag, bin ich zu Konzerten gefahren. Das heilige Bild von Madonna zu sehen, war schon interessant, aber nicht so wie für die Menschen, die sonst zu ihrem Wunschort pilgern würden. Ich bin nicht wie die, dachte ich mir mit 16. Ich bete kein Bild an, nur Gott.

Grundsätzlich nehme ich gerne die lange Reise auf mich, um die Konzerte zu hören. Das Bild, das circa im Jahre 400 entstanden war, hat ein König als Geschenk vom byzantinischen Kaiser um das Jahr 800 nach Christus erhalten. Nach vielen Abenteuern wurde es in J.G. betreut, beschützt, zur Schau gestellt und begleitend zum Gebet angeboten. Viele Heilungen und Wunder sind seit dieser Zeit geschehen. Die Krücken von Menschen, die dort eine Heilung erfahren haben, hängen an den Wänden, aber auch andere Andenken wie Ketten, Schmuck, etc.

Die Atmosphäre ist da schon beindruckend. Ich habe es erfahren nachdem ich in der Nacht zum Gebet gekommen bin. Ich hörte mit Begeisterung den Konzerten, den Chören, so lange zu, dass inzwischen jemand anderes meinen Platz in Bus einnahm. Es gab keinen Platz zum schlafen mehr für mich. Vergeblich suchte ich eine Alternative spät in der Nacht.

Nachdem es gegen vier Uhr morgens nichts anderes zu tun gab, ging ich zum Bild und fing an zu beten. Das Bild ist meistens mit einem Silber-„Hemdchen" bedeckt. Plötzlich sah ich ein Licht, das von dem bedeckten Bild zu mir strahlte. Es ähnelte einer Straße. Da war eine Stimme in dem Licht und sie sagte: „Fürchte dich nicht. Ich bin bei dir". Ich habe zu dem Zeitpunkt noch keine Wörter hören können, aber ich hörte die Botschaft, die mein Leben für immer verändert hatte so, wie diese Botschaft dich ändern könnte, wenn du sie als deine Eigene annimmst. Ich weinte und weinte vor Freude. Es hat mich auch berührt, dass Gott sich um mich sorgt und kümmert, dass er mich liebt. Das war nicht nur eine himmlische Stimme, es war die Liebe, die ich spürte, ich fühlte mich unendlich geliebt. Ich wollte irgend ein Anliegen im Gebet formulieren, aber bevor ich es zu Ende sprach, wusste ich, dass ich schon alles habe und nichts mehr brauche.

Ich weinte einfach vor Freude. Als ich aus dem Kniegebet aufstehen wollte, sah ich, dass viele Menschen sich für die erste Messe bereits gesammelt hatten. Einige beteten wie ich. Die

Sonne hat durch die Fenster gestrahlt. Vielleicht war es noch der geistige Strahl. Für diese wenigen Fenster war es in meiner Erinnerung viel zu hell. Ich wusste nicht, wie die Stunden so schnell vergangen sind. Es hatte unmöglich am Morgen sein können und trotzdem war es sonnig hell.

Sieben Jahre später kamen schwere Zeiten auf mich zu. Ich hatte oft nichts zu essen. Ich fühlte mich sehr einsam und ich hatte die Vorahnung, dass mir bald etwas zustoßen würde und ich sterben müsste. Ich hatte nur ein winziges Zimmer, in dem ich wohnte vielleicht sechs bis acht Quadratmeter. Das Bad habe ich mit anderen Bewohnerinnen geteilt und eine Küche hatte ich gar nicht.

Eines Tages sprach mich eine alte Frau an. Sie gab mir ihre Adresse, an der ich sie besuchen könnte. Ein paar Tage später traf ich sie in einer anderen Stadt, nachdem ich mein restliches Geld einem Bettler gespendet hatte (ich fühlte aufgrund dessen, dass ich bald sterben sollte, es angebracht war, schnell etwas Gutes tun). Ich besuchte meine Familie und Freunde, um mich zu verabschieden, als ob es das letzte Mal wäre und wartete ab, was passieren wird.

Ich besuchte die alte Frau und danach hatte ich einen Traum. Ich träumte, dass ich durch Chaos gewandert bin, die Hunde bellten mich an und die Menschen waren fremd, distanziert. Sie haben in dem Traum nicht verstanden, was ich tue und warum ich es tue. Ich ging auf einen Hügel hinauf. Ich habe die Menschen hinter mir gelassen. Da gab es Gras, das so wunderschön grün war, dass es mich wunderte, weil es hier so eine wunderschöne, grün leuchtende Farbe gar nicht gibt. Links von mir stand eine Kirchenruine. Die Wände waren zerstört, nur die Frontwand hielt den Gezeiten stand. Ich erkannte, dass es mal eine Kirche war, weil die Wandrosette an kirchliche alte Gebäude erinnerte.

Oben am Himmel sah ich Maria als alte, orthodoxe Ikone in unirdischen Farben und Lichtern, die es hier einfach nicht gibt, so schön waren sie. In den Händen hat sie ein Band gehalten, sie segnete mich damit. Ich wusste, ohne es wirklich zu erfahren, dass sie aus P. war, wo sie einmal ein Kloster vor dem Untergang gerettet hatte und dass das Band, das sie hielt, Omophorion hieß.

Sie weinte. Sie sagte mit Tränen in den Augen:

– Katja!

– Ich bin hier!

– Gott hat sehr gelitten wegen dir. Jeder Gedanke ohne Liebe verletzt Gottes Herz. Gott ist sehr sensibel.

Ich weinte vor Reue und Trauer.

In der Früh glaubte ich nicht, dass ausgerechnet ich diesen Traum gehabt hatte. Ich fühlte mich keinesfalls wie jemand, der einer derartigen Botschaft würdig wäre.

Mit der Zeit änderte sich alles um mich herum, ich wurde glücklicher und fühlte mich sicherer. Ich hörte, dass in dem Land, in dem ich mich gerade befand, in den zwei wichtigsten Wahlorten, die, mit den zwei Madonna-Bildern, die Kirchen brannten. Warum wusste ich allerdings nicht sicher. Die Botschaft habe ich empfangen. Was empfangen die anderen?

Zwei Jahre später fuhr ich durch einen Wald. Ich musste kurz anhalten. Es gab dort ebenfalls Kirchenruinen. Das es früher eine Kirche war, erkannte ich daran, dass in der einzig übriggebliebenen Wand vorne eine Rosette zu sehen war. Es war genau die Kirche von dem Traum, den ich zwei Jahre zuvor hatte.

Ich fragte Gott:

– Warum schickst du mich jetzt hierher? Warum sehe ich die reale Kirche von dem Traum, den ich nie vergessen werde?

Und Gott sagte:

– Warum denn nicht jetzt?

Es war eine Postkarte von Gott. Wenn Freunde eine Karte aus dem Urlaub schreiben, sagen sie eigentlich damit: „Hallo, ich bin da, ich denke an dich und ich habe dich gern". So winkte mir Gott mit dieser Postkarte zu. Er sagte mir damit „Hallo! Ich bin da und ich denke an dich! Ich habe dich gern!".

So lernte ich, dass Gott nicht nur in der Bibel vor zweitausend Jahren präsent war, sondern auch jetzt in meinem Leben wirkt.

Ich achtete auf meine Gedanken.

Kapitel 22

Gott will, dass wir reich und glücklich sind! Er liebt Sex!

Tue alles Erdenkliche, um den Segen Gottes zu erlangen.
Das ist dein Glück, dein Reichtum und dein Erbe,
den du selbst in die Ewigkeit mitnehmen kannst.
Katja Queen

Wir sollen nicht auf Reichtum bauen, wenn wir ins Reich Gottes kommen wollen. Es bedeutet nicht, dass wir arm sein und ein unwürdiges Leben führen sollen. Es wäre dann kaum möglich, das Gute zu unterstützen. Wir würden dann keinem spenden können. Wir würden in Sorge leben, öfter denken müssen, womit wir die Rechnungen bezahlen und wovon wir den Kindern einen Skikurs ermöglichen können. Wir hätten am besten unser Hab und Gut gleich an verschiedene Institutionen schenken müssen, sodass wir nach dem Tod glücklich sein können und unsere Belohnung im Himmel erhalten könnten. Es gibt auch Zitate in der Bibel, womit wir das untermauern.

Wenn wir es genauer betrachten, schließt es sich aber aus, zum Beispiel eine praktische Hilfe zu leisten und gleichzeitig in Armut zu leben. Die abgewirtschafteten Wohltäter sind eher selten zu sehen. Es würde auch bedeuten, dass wir für unsere Arbeit keine Belohnung erwarten sollen, um unbedingt keine Schätze zu besitzen. Die sind ja schlecht und das nötige Geld auch. Als Konsequenz müsste es auch gleichzeitig schlecht sein, was wir mit dem schlechten Geld kaufen. Diese Logik führt in die Sackgasse und sie kann unmöglich stimmen. Nicht einmal in Maßen zu besitzen ist sinnvoll. Es gibt kein Maß für das Maß. Es ist weder weise noch logisch, sich nach irgendwas zu richten. Es gibt nur eine große Möglichkeit zu helfen oder eine Kleine oder gar keine. So viel ist sicher.

Die Bibelwörter müssen also etwas ganz anderes bedeuten. Lesen wir den ganzen Kontext, erfahren wir, dass Jesus den reichen Jungen ansah und er hat ihn lieb gehabt. Jesus liebte einen Reichen. Dass wir das Getragene abnehmen und dalassen müssen, bevor wir in die Stadt durch das kleine Tor (eine andere Bezeichnung dafür war „Nadelöhr") gelangen, ist klar, sonst würden wir nicht durchpassen. Wer stirbt, geht zum Glück in die geistige Welt mit dem Reichtum der guten Taten, die er oder sie dank des Geldes vollbringen konnte.

Die Reichen in der Bibel liebte Jesus. Wenn der Reichtum zu einer Last wird, soll man es ablegen, oder damit lieber besser umgehen lernen und glücklich und dankbar sein. Was uns belastet, das macht uns unglücklich. Was uns traurig und voller Sorgen macht, das hindert uns, in Glück zu leben, sprich in den Himmel zu gelangen. Wenn es ein unbequemer Schuh ist, sollten wir den Schuh ausziehen. Das heißt aber nicht, dass die Schuhe uns böse machen, sodass wir nie wieder Schuhe tragen sollten oder, dass Gott uns nicht liebt, wenn wir Schuhe tragen.

Gott wünscht uns, dass wir seine Schöpfung mit Liebe besitzen und beherrschen. Er will, dass wir reich sind. („Dein Reich komme, [...] wie im Himmel, so auf Erden"). Gott will, dass wir unsere Gedanken besseren Sachen im Leben widmen als den Geldsorgen. Sie sollten da sein. Das Geld, Eigentum ist definitiv ein Segen. Es ist gut und erstrebenswert.

Es war praktisch, den Gläubigen einzureden, dass sie auf alle Fälle arm bleiben sollen. Sie sollten spenden. Am besten alles einer Institution übergeben. Dann gehen die armen Gläubigen direkt in den Himmel. Sie werden Hunger leiden, aber dafür werden sie 80 bis 90 Jahre später gewiss ihre Belohnung im Himmel bekommen. Eigentlich im Paradies. Laut Bibel gab es da noch eine sehr böse Schlange, es dürfte dort also auch nicht alles so perfekt sein.

Ich hatte wieder mal nichts. Keinen Penny für die einfachsten Einkäufe und zwei kleine Kinder in einem verschuldeten Haus. Ich stand im Garten, goss die Blumen und betete. Plötzlich hatte ich eine Vision. Ich sah mich in einem Zelt mit Abraham,

Moses und Jakob, sie deckten eine Unmenge Essen auf und luden mich zum üppigen, orientalischen Fest ein. Ich befand mich inmitten von Obsttürmen in Überfluss, gekochten Gerichten und unter Patriarchen, die sich mit Würde, Frieden und in Harmonie an dem altertümlichen Fest erfreuten. Es passte zu ihnen. Sie wussten den Luxus des Segens zu würdigen und zu genießen.

Es ging weiter, als ich im Wüstenzelt stand. Ich hörte Gottes Stimme (es war Gott noch zu wenig die Vision hervorzurufen, dachte Er sich vermutlich und reden musste Gott auch noch dazu). Er sagte ruhig und mächtig zugleich: „Es wird euch an nichts fehlen."

Es dauerte noch einige Monate, aber er hielt sein Wort. Ein gutes Geschäft hat sich wie von selbst angeboten. Genau 33.000 €, wie 33 Silbertaler, haben wir wie durch ein Wunder bekommen, um das Geschäft zu beginnen. Es ging uns ab dem Zeitpunkt besser und besser.

Ein weiteres Mal war es kurz finanziell eng. Da kam mir natürlich Maria im Traum vor, sie sprach von Weitem zu mir: „Es wird euch an nichts fehlen". Das kam mir bekannt vor. Ich bekam fürs Erste die Ruhe zurück und das Geld für ein würdiges Leben war schnell wieder da. Ich hörte auf, mich zu wundern. Gott will, dass wir Geld haben anstatt sich zu sorgen. Das will ich für meine Kinder auch und Er ist besser als ich.

Gott ist der Schöpfer des Materiellen und Immateriellen. Er hat uns die Welt geschenkt, um sie zu genießen und ganz gewiss nicht, um sie abzulehnen. Das Gold ist also da, um es dankbar zu lieben. Der Segen ist da, um sich an ihm mit dem himmlischen Vater und der himmlischen Mutter zu erfreuen, daran zu wachsen, die Dinge zu pflegen lernen, Besitz zu verwalten. Gottes Erbe ist kostbar. Es ist nicht zielführend, es zu vermeiden. Ich kann nur ahnen, wie verletzend eine „Reichtum ist böse und deshalb will ich es nicht haben" Haltung für Gott ist. Ein abgelehntes Geschenk tut unserem guten, großzügigen, sorgenvollen Gott weh. Möglicherweise ist er das sensibelste Wesen im Universum. Pflückt die Blumen also mit Freude.

Es gibt noch etwas, das weder materiell noch immateriell ist. Es gehört nicht zur Schöpfung, es ist aber von Gott erschaffen, natürlich, um uns zu erfreuen, natürlich etwas, das eines genialen Geschenk Gottes würdig ist.

Ja, er hat Sex erschaffen, Gott alleine ist auf diese herrliche, geniale Idee gekommen, den Sex zu schaffen. Nicht wir selbst haben irgendwas dazu beigetragen, damit es Sex gibt, nicht zufällig ist er da, nicht zwecklos. Gott liebt Sex. Gott ist da, wenn es eine Vereinigung und Sexerfahrung gibt, weil er in sich als Mann und Frau vereint ist. Es zieht ihn an. Ich schätze, daraus kommt das Konzept des flotten Dreiers, nur, dass es sich in dem Fall nicht um einen durch Hollywood hochgeschaukelten, unnatürlichen Traum handelt. Es geht um einen himmlischen Dreier: ein Mann, eine Frau und Gott, zusammen in Sex-Liebe vereint.

Er ist Vater und Mutter, beide Eltern. Er liebt es, neues Leben zu erschaffen, er liebt es, Kinder zu zeugen, er liebt das Gefühl von Glück und Einheit.

Es ist an der Zeit, einige Erfahrungen darüber zu teilen.

Ich lade Gott jedes Mal zum Sex ein. Wenn ich es anfangs vergesse, bete ich kurz, damit er da ist und mit mir und meinem Mann den Sex genießt. Ganz besonders war ich froh darüber, wenn wir Kinder zeugten. Ich wusste, dass Gott mit uns war. Natürlich fühlte ich, dass er unseren Sex absegnete und sogar liebend gerne daran teilnahm.

In einer Nacht sah ich ein starkes Licht im Schlafzimmer. Es war derart groß und hell, etwas länglich in eine Säule platziert, dass es mich anfangs erschreckt hat. Im Zimmer war eine hölzerne Säule, die ganz nahe am Bettende stand. Ein länglicher Stern erleuchtete sie eines Nachts. An den Sternen am Himmel, die in der Nacht leuchteten, war ich gewohnt. So ein riesiges, unerträglich starkes, weißes Licht, das größer und intensiver war als die Sterne in der Nacht, jagte mir doch Angst ein.

Nach dem ersten Schreck verstand ich, dass es sich um ein geistiges Phänomen handeln muss und wenn es weiß ist, habe ich nichts zu befürchten. Der heilige Gott zeigte sich in unserem Schlafzimmer bei einer intimen, für uns sehr wichtigen Gelegenheit.

Der ehemalige Gefangene Nummer 595 besuchte mich geistig auch in ähnlichen Situationen. Diese paar Male, in denen der weise Mann des Waldes eine weiße Robe angehabt hat. Er saß am schwarzen leuchtenden Boden im Schneidersitz, im Gebet versunken und neben ihm am Boden lag ein Rasiermesser. Eines Tages erlebte ich die größte Überraschung meines Lebens: Ich sah ein echtes Foto eines Mannes in weißer Robe, auf schwarzem, glänzendem Boden, betend im Schneidersitz.

Kapitel 23

Zeit für die Liebe

Wer nicht mehr liebt und nicht mehr irrt, der lasse sich begraben.
Johann Wolfgang Goethe

Die Liebe kann Glück sein und eine Freude. Sie ist es sogar, bis auf die Male, in denen sie egoistisch, unersättlich und besitzergreifend ist. Solange keine Erwartungen im Spiel sind, sprich, solange wir dem Geliebten nicht sagen, wie er sich zu verhalten hat, macht die Sonne, was sie am besten kann: Sie wärmt.

Was so unentbehrlich schmerzt, ist die Bedürftigkeit. Es ist das Blindsein. Es ist die eigene Unfähigkeit, sich an dem Glück der anderen zu freuen oder es dem zu wünschen, den wir lieben. Es ist das Habenwollen. Es wahrzunehmen und dann in dem entsprechenden Sinne zu beten, hilft am meisten. Ohnehin ist es schöner, lieben zu lernen ohne zu trauern.

Es gibt mystische, göttliche Liebe, die aus der Tiefe des göttlichen Herzens kommt. Andauernd fließt daraus eine Freude. Diese Liebe wird in andere Lebensbereiche übersetzt, weil sie in anderen Beziehungen ausgelebt wird. Die mystische Liebe, die wie Elternliebe ist, wird zu Liebe unter uns, Menschen, Gottes Geschwistern. Es heißt nicht was, sondern wie kann man lieben. Die Liebe greift viel weiter ein als das eigene Ego. Sie verbindet und trennt nicht, wie sogar der Altruismus trennt, weil er aus dem Unterschied zwischen mir und dir lebt. Es geht um die Agape, die Nächstenliebe. Die (violette) Liebe von Gott wird auf die (rosa) Liebe zum Mitmenschen übertragen.

Wir sind nicht getrennt, das geht gar nicht. Es geht uns gut, wenn es anderen gut geht. Wir sind eins. Wie die Finger an einer Hand, die an einem anderen Platz sind, befinden wir uns an den anderen Plätzen auf derselben Erde. Wir sind in natürlicher Weise miteinander verbunden. Liebe den anderen wie dich selbst. Der andere ist wie du. Wir sind eins.

Gott ist in seinen Kindern, eins mit seinen geliebten Kindern. Ihn zeichnet die Fähigkeit, in uns zu leben und zu wirken. An Gott zu denken bringt die Liebeserfahrung, das Leben mit Gott, Gottes Nähe und nicht die von Platon stammende und von uns getragene Vorstellung des Gottes im Himmel. Außer wir stellen uns den Gottes-Himmel unter uns und in uns vor.

Das Göttliche in uns wird in Mitmenschenliebe übersetzt. Die Mitmenschenliebe ist rosa. Die sehe ich wie eine Wolke an den Händen in einer schönen, leuchtenden, klaren, rosa Farbe.

Was für mich hingegen interessant war zu beobachten, war, dass unverantwortliche Menschen ein Übermaß an einem trüben, matten, mit Grau gemischtem Rosa haben. Das weiß ich aus Erfahrung. Was ich nicht weiß, ist, ob der Mangel an Mitmenschenliebe oder Egoismus mit dem Verantwortungsmangel gleichzustellen ist. Ich weiß nur, dass es gleich aussieht, und zwar anstatt sich wie an einer schönen rosa Farbe um die Hände platziert zu erfreuen, der Raum der Aura die trüben, grauen, rosa Töne einnimmt.

Eifersucht zeichnet sich im unschönen, verfaulten grasähnlichen Grün ab. Es umhüllt die Menschen wie eine Wolke, wie eine riesige Eierschale, in der sich ein Mensch befindet. Manchmal greift es das Herz an. Und die Antwort ist die Liebe. Eine heilende Liebe hat immer eine saftige, grüne Farbe eines gesunden Baums. Sie beinhaltet außerdem einen Touch an Kreativität, als ob die Liebe und die Heilung kreativ sein müsste. Das ist mehr eine Beobachtung der Aura und Erfahrung als eine philosophische Selbstunterhaltung mit mir. Das sehe ich in der Aura der Menschen um mich herum. Wenn ich in so einer Situation war, dass ich nach der Erlaubnis, das Energiefeld des Menschen zu betrachten und zu analysieren, sogar manchmal zu malen und unbedingt eine Geschichte dazu zu hören, um sie zusammen zu interpretieren, fragen konnte, habe ich viele unerwartete Zusammenhänge beobachten können.

Die Eifersucht der Mitmenschen, die mir schon mein ganzes Leben Probleme bereitet haben und sich nicht so einfach ändern lässt, ist die Kehrseite der heilenden Liebe. Es handelt sich immer noch um das Grün. Es muss also in Verbindung stehen. Es muss irgendwie austauschbar sein. Was mir Angst gemacht hat, die Eifersucht und der Neid eben, ist durch die kreative, heilende, starke, saftige Liebe heilbar.

Nur um es zu erwähnen: Die mystische Liebe hat eine violette Farbe und sie befindet sich, wie eine Krone, um den Kopf herum. Da ist sie am stärksten und ist immer da, weil Gott uns immer liebt. Er liebt uns selbst, wenn wir es nicht einmal wollen. Ich bemerke es dann, wenn ich die Menschen treffe, die nicht an Gott glauben und trotzdem eine violette Krone tragen.

Diese Energie sollte idealerweise bis zum Boden strömen. Das würde bedeuten, dass der oder die Glückliche aus dem Vollen schöpfen kann. Sie lassen die göttliche Liebe im Leben zu und zwar in allen Lebensbereichen. Sie wissen um die Liebe im Kopf. Sie können in Liebe sprechen. Sie fließt in ihren Hals.

Es macht einen Unterschied, ob der Mensch die mystische, göttliche Liebe im Herzen zugelassen hat oder nicht. Die Frage ist, wie tief die Liebe in die Seele hineinreicht und ob sie im Herzen fühlen kann und sich sicher ist, dass Gott sie liebt. Wenn es so ist, werde ich die helle, leuchtende violette Farbe in der Herzgegend als Aura sehen.

Erreicht der wunderschöne Fluss den Bauch, kann ich gleich vermuten, dass diese glückliche, ganz sicher gelassene Person die himmlische Liebe praktisch wirkend in kleinen, vielen Dingen des täglichen Lebens sieht. Das ist schon ein Erfolg, der viel ausmacht. Nicht nur für Gott, damit er sich locker austoben kann, nicht nur für den gesegneten „Besitzer", sondern für die mit seiner Anwesenheit gesegneten Menschen, die die mystische Liebe bei dem anderen spüren und genießen, ob sie es nun bewusst wahr haben wollen oder nicht. Der in Violett umhüllte Mensch kann sich an der Sympathie der Umgebung erfreuen.

Idealerweise umhüllt die violette Energie die Beine bis zum Boden. In dem Wissen um die Schöpferliebe durch das Leben zu gehen, ist die schönste Weise, auch ihm zu sagen: Ich liebe dich auch, mein himmlischer Vater. Es ist schön, sich mit Gott anzufreunden. Es steht geschrieben, dass Noah mit Gott gegangen ist. Der glückliche, tüchtige Noah, der sicher die größte Ausdauer in der Geschichte hatte. Er ist mit Gott gegangen.

Es gibt Menschen, die sogar unter den Füßen violette Energie haben. Es gibt Momente, an denen sie durch die braune, komplementäre Farbe des Pragmatismus nicht ausgeglichen sind. Wir sollten nicht zu geistig sein. Es ist gut und wichtig, sich zu erden. Es ist definitiv besser fest im Leben verankert zu sein als zu schweben. Eine physische, längere Arbeit mit Liebe erledigt, zum Beispiel im Garten, auf dem Feld oder bei den Tieren, gleicht die übermäßige und ungesunde Geistigkeit wieder aus. Ich tue es selbst so gerne und ich empfehle es allen.

So viel zu einigen Seiten des wunderschönen, einzigartigen Regenbogens der Seele. Noch ein paar Tatsachen in Sachen Liebe könnten hilfreich für dich sein.

Es gibt immer einen Moment, an dem wir uns noch entscheiden können, ob wir uns verlieben oder nicht. Es ist gut, diese Tatsache für sich zu nutzen und sich bewusst zu entscheiden, ob man es will oder nicht, ob es für einen gut ist oder nicht. Es ist so ein kurzer Moment, leicht zu übersehen. Wenn es schon zu spät ist, versuche es einfach zu genießen und leide nicht. Es ist oft nur das unerfüllte Bedürfnis zu nehmen. Konzentriere dich auf das Geben, anstatt dir in Gedanken auszumalen, was du gerne hättest nehmen können. Warum willst du unbedingt bestimmen, wie der andere Mensch sich zu verhalten hat und was er dir geben soll?

Diese Erfahrung bringt dich in Gottes Nähe. Du kannst für dich sehr viel daraus lernen. Gott liebt uns auch. Inwiefern wir es erwidern, wissen wir nicht. Wahrscheinlich leidet Er, da wir seine Liebe oft nicht einmal fühlen, geschweige denn zurückgeben. Unser Gott ist ein einsamer Gott und das verstehst du erst, wenn du dich einseitig verliebt hast. So eine wertvolle, nötige Erfahrung.

Man muss nie verzweifeln, wenn einem etwas verloren geht,
ein Mensch oder eine Freude oder ein Glück;
es kommt alles noch herrlicher wieder.
Rainer Maria Rilke

Es gibt etwas, was dir hilft. Wenn wir emotional verbunden sind, sieht es geistig aus wie eine Nabelschnur, die uns mit dem anderen Menschen verbindet. Es fängt meistens in der Nabelgegend an und endet bei der anderen Person. Sollten wir die Beziehung beenden, egal, von welcher Seite, ob du abgelehnt wirst oder selber weißt, dass die Beziehung nur noch schmerzt und es an der Zeit ist, Schluss zu machen, die Nabelschnur wird durchgeschnitten und blutet. Subjektiv fühlen wir es wie einen seelischen Schmerz.

Nimm die Nabelschnur deiner Seite und pflanze sie bei dir ein. Kehre zu dir zurück. Du hörst zu bluten und zu leiden auf. Du sollst keine Götter außer einen haben. Denkst du ununterbrochen an den, den du vermisst, stellst du ihn höher als Gott und das ist nicht richtig. Bring allem seine Ordnung und hüte dich selber.

Wir sind eine ganz andere Behandlung gewohnt. Viele von uns sind von ihren Eltern enttäuscht, von Freunden erwarten wir nicht sehr viel, nur gerade so viel, dass Freunde oder Geschwister uns nicht ohne Eigennutzen und nicht grenzenlos lieben, aber so, wie sie sich selber gerade fühlen.

Sogar die Engel haben ihre Erwartungen an uns, wonach sie handeln. Wir brauchen Liebe, die umarmt, die verzeiht, die bedingungslos ist, ewig, in gewisser Weise unveränderbar. Kein Wunder, dass die Mitmenschen überfordert sind damit. Letztendlich wünschen wir uns selbst mehr Geduld, mehr Weisheit in unseren Beziehungen. Wir hoffen, dass wir sie besser, liebevoller zu gestalten lernen.

Gottes Liebe ist anders. Gott liebt eben wie ein Gott. Er verzeiht garantiert. Ihn erfreuen die Strafen nicht, er ist daran nicht interessiert. Seine Mühe verläuft in ganz andere Richtung. Er ist nicht gerecht, weil er Vergebung schenkt und nicht den Tod für einen Tod. Er verzeiht uns, sobald wir darum bitten, vielleicht sogar schon früher. Er versteht. Er wartet und hofft für uns und er macht sich Sorgen um uns, viele Sorgen. Er ist besser als in Bibel oft dargestellt ist, weil er liebt.

Gott liebt unendlich, zuverlässig. Ich habe mich mal Gott gegenüber hingesetzt. Meine Fehler habe ich eingepackt und ihm gegeben. Selber habe ich sie nicht mehr ausgehalten. Ich wusste nicht, was er damit tut, ich wartete lange damit und ich erwartete alles außer eines. Ich dachte, er schaut sie an wie zu dem Zeitpunkt, an dem ich sie begonnen habe. Ich dachte, sie seien wichtig, sie hätten ihn maßlos verletzt und jetzt will ich darüber reden. Ich dachte alles, außer eines.

Gott hat sie nicht angeschaut. Er zögerte nicht sie wegzuwerfen. Er fasste sie kaum an. Er nahm die Verpackung von mir und Er warf sie weg. Er freute sich, tröstete mich, Er umarmte mich. Er versprach mir Segen. Gott liebte mich in diesem Moment und in anderen.

Zukünftig war es mit anderen Arten meiner Fehler noch besser. Er fasste sie nicht an, Er tauchte sie weg, sodass sie verschwanden.

Habt keine Angst, zu Ihm zu gehen, habt Vertrauen. Was Gott will, ist, dass wir uns geliebt und glücklich fühlen.

Ich gehe gerne einkaufen. Ich suche die Sachen für meine Kinder aus. Beim Einkaufen überlege ich, ob die Geschenke ihnen wohl gefallen werden, ob das Kleidungsstück ihnen passt und ob das Essen schmeckt, das ich beschaffe. Ich bekam eine Eingebung in der Mitte des Supermarktes. Ich wusste, dass Gott auch so ist. Er, als die Eltern, gibt uns die Dinge und hofft nur, dass wir damit Freude haben.

Ich sorge mich mit meinem Mann, was für ein Erbe wir unseren Kindern hinterlassen. Wir denken dabei an geistige und irdische Güter. Es ist uns bewusst, dass nicht nur das Leben von jedem einzelnen von uns durch unser Karma bestimmt wird, sondern das auch der Segen in direkter Beziehung von unseren Ahnen abhängt. Die Abstammung in der Bibel ist nachverfolgbar und beschrieben, so wird direkt in 4 Mose gesagt, dass die Taten der Ahnen bis in die vierte Generation wirksam sind, wenn sie nicht gut waren oder sie bringen Segen für bis zu 1000 Jahre (je nach Sprache, in der die Bibel übersetzt worden ist. Wie man das schlechte Familienmuster ändert, ist eine ganz andere Geschichte).

Es ergibt Sinn. Von vielen Komponenten, die unsere Leben, unser Schicksal ausmachen, sind die Taten der Ahnen für die Nachkommen ziemlich entscheidend. Das wissen die Asiaten, im Abendland sträuben wir uns dagegen, obwohl es logisch wäre und gar nicht anders geht. Manche Psychologen beharren auf der Theorie, dass wir die Ehen unserer Eltern führen, ob wir es wollen oder nicht. Meiner Abschätzung nach ist, je nach dem, in welchem Muster wir aufgewachsen sind und welche Erziehung wir genossen haben und unsere Eltern und deren Eltern auch, vorbestimmt, wie viel Arbeit im geistigen Sinne vor uns liegt, es beeinflusst uns auf jeden Fall. Der Ausstieg von Mustern wird noch weiter beschrieben.

Die Eingebung mit irdischen Gütern machte mir eines Tages deutlich klar, wie Gott ist. Ich bemühe mich, meinen Kindern eine finanzielle Basis zu hinterlassen. Genug, um zu überleben, nicht genug, um nichts mehr tun zu müssen. Ich will nicht, dass sie den Großteil ihrer Einkommen für die Miete verwenden und dass sie sich jeden Monat um ihre Stromrechnungen Sorgen machen müssen.

Ich plane, arbeite, spare, gebe aus – mit einem Gedanken an die Kinder. Ich bin mir sicher, dass die meisten Leser das gut nachvollziehen können.

Gott als Eltern macht einen Plan, Logos, er arbeitet an seiner Schöpfung, bemüht sich, er erschafft die Dinge und verschönert sie, um sie uns zu geben. Meine Tochter hat mal über Dinosaurier gesagt: „Da hat Gott sich ausgetobt". Wenn ich mir aus Liebe zu meinen Kindern so viel Mühe gebe, wie viel mehr bemüht sich Gott um uns? Wie liebt er uns und wie viel gibt er uns? Wie viel würde er noch gerne geben, mit oder ohne „Verdienst"? Er denkt und plant und arbeitet mehr als ich, weil er mehr liebt.

Es kam einmal eine Frau zu mir, die ein Verhältnis hatte. Man könnte denken, Gott kann ihr seinen Segen nicht geben. Und doch, ich habe klar gesehen, dass keine zwei Wochen vergehen werden bevor sie unerwartet eine größere Geldsumme empfangen wird. Die „Zukunftsfarben" waren deutlich grün, wie ein Segen von oben.

Einige Tage später ruft mich die Frau an. Sie teilte mir mit, dass meine Prophezeiung in Erfüllung gegangen ist. Ein Kunde, mit dem sie nicht gerechnet hatte, meldete sich von selbst und kurz darauf bekam meine Bekannte die Provision ausbezahlt.

Ich freute mich und ich wollte wissen, wie das für Gott möglich wäre. Warum hat er seinen Segen doch nicht vorenthalten? Gott erklärte mir, dass er den Menschen sehr liebt und dass Er sah, wie verzweifelt sein Kind war. Zerrissen von Liebeskummer und Gewissensbissen, unglücklich und einsam in der jetzigen Beziehung brauchte sie Hilfe, sagte Gott. Was wäre mit ihr, wenn sie dazu noch Geldsorgen hätte? Sie suchte Hilfe und sie bekam sie. Ich konnte nicht anders, als den Menschen zu helfen, sagte Gott. Ich wusste von dem Prediger in Wald, dass Gottes Liebe ewig, unveränderlich, bedingungslos und zu jedem von uns einzigartig ist.

Ich erzählte die Geschichte bekennenden Christen schon einmal. Entsetzt glaubten sie mir nicht. Sie wussten nicht um Gottes Liebe. Es regnet auf alle, wenn es regnet, das steht in der Bibel und damit war ein Regen über der Wüste gemeint.

Gott liebt uns mit unseren Fehlern und Macken. Das meiste davon hat Er selber erschaffen, weil Er mich erschaffen hat. Ich brauche mich nicht schuldig zu fühlen für die Fehler, die ich begehe. Er ist nicht daran interessiert, Fehler zu suchen, genauso wie ich sie nicht bei meinen Kindern suche. Das ergibt gar keinen Sinn.

Sich geliebt und angenommen von Gott zu fühlen ist nicht nur natürlich oder so, wie wir oft sagen, in Ordnung, es ist äußerst wünschens- und empfehlenswert. Habe keine Angst. Habe nie Angst davor, ob Gott dich will und liebt. Du bist geliebt und du bist frei. Du brauchst dich nicht freikaufen. Das wurdest du schon längst. Jesus hat nie gesagt „alle mit Ausnahme von dir". Das meinte Er nie. Du bist frei zu lieben und zu geben, wann und wem du kannst und willst. Das ist das A, B und C in der zentralen Achse des Universums. Gott liebt dich. Punkt. Keine Diskussion. Ohne Wenn und Aber kannst du dich immer darauf verlassen.

Die Autorin

Die 1970 geborene Katja Queen ist zweisprachig
aufgewachsen und hat bereits mit elf Jahren
sowohl diverse Literaturklassiker gelesen als auch
die altslawische Sprache und Schrift beherrscht.
Als hervorragende Schülerin war sie an den
meisten Tagen mit dem Singen, Tanzen und der
Moderation der Schulkonzerte beschäftigt. Als sie
älter wurde, erhielt sie mehrere Auszeichnungen
für ihre kulturellen und humanitären Einsätze
in Rumänien, Polen und in der Ukraine. Unter
anderem wurde sie von der ukrainischen Kultur-
stiftung für ihren Einsatz zur Belebung und Entwicklung der nationalen Kultur ausgezeichnet.
Mindestens ebenso ausgeprägt wie ihre Nächstenliebe ist auch ihre Liebe zum Schreiben. Neben
internen Publikationen, Infoblättern und Zeitungs-
artikeln ist sie auch für verschiedene NGOs von
schriftstellerischem Interesse.
Die meiste Zeit verbringt Katja Queen heutzutage
mit den Tieren auf ihrem Biohof und wohltätigen
Aktivitäten.

Der Verlag

*Wer aufhört
besser zu werden,
hat aufgehört
gut zu sein!*

Basierend auf diesem Motto ist es dem novum Verlag
ein Anliegen neue Manuskripte aufzuspüren, zu ver-
öffentlichen und deren Autoren langfristig zu fördern.
Mittlerweile gilt der 1997 gegründete und mehrfach
prämierte Verlag als Spezialist für Neuautoren in
Deutschland, Österreich und der Schweiz.

**Für jedes neue Manuskript wird innerhalb
weniger Wochen eine kostenfreie, unverbind-
liche Lektorats-Prüfung erstellt.**

Weitere Informationen zum Verlag und
seinen Büchern finden Sie im Internet unter:

w w w . n o v u m v e r l a g . c o m

Lightning Source UK Ltd.
Milton Keynes UK
UKHW022134210720
366937UK00010B/205